UDC

中华人民共和国国家标准

P

GB 50287－2016

水力发电工程地质勘察规范

Code for hydropower engineering
geological investigation

2016－08－18 发布　　　　2017－04－01 实施

中华人民共和国住房和城乡建设部
中华人民共和国国家质量监督检验检疫总局　联合发布

中华人民共和国国家标准

水力发电工程地质勘察规范

Code for hydropower engineering
geological investigation

GB 50287 - 2016

主编部门：中 国 电 力 企 业 联 合 会
批准部门：中华人民共和国住房和城乡建设部
施行日期：2 0 1 7 年 4 月 1 日

中国计划出版社

2016 北 京

中华人民共和国国家标准

水力发电工程地质勘察规范

GB 50287-2016

☆

中国计划出版社出版发行

网址：www.jhpress.com

地址：北京市西城区木樨地北里甲 11 号国宏大厦 C 座 3 层

邮政编码：100038　电话：（010）63906433（发行部）

三河富华印刷包装有限公司印刷

850mm×1168mm　1/32　8 印张　202 千字

2017 年 3 月第 1 版　2022 年 8 月第 2 次印刷

☆

统一书号：155182·0047

定价：48.00 元

中华人民共和国住房和城乡建设部公告

第 1279 号

住房城乡建设部关于发布国家标准
《水力发电工程地质勘察规范》的公告

现批准《水力发电工程地质勘察规范》为国家标准,编号为 GB 50287—2016,自 2017 年 4 月 1 日起实施。其中,第 6.3.1、6.4.1、6.4.4、6.5.1、6.10.1 条为强制性条文,必须严格执行。原国家标准《水力发电工程地质勘察规范》GB 50287—2006 同时废止。

本规范由我部标准定额研究所组织中国计划出版社出版发行。

中华人民共和国住房和城乡建设部
2016 年 8 月 18 日

前　言

根据住房城乡建设部《关于印发〈2012年工程建设标准规范制订修订计划〉的通知》（建标〔2012〕5号文）的要求，由水电水利规划设计总院会同有关勘察设计、研究和教学单位对《水力发电工程地质勘察规范》GB 50287—2006进行修订而成。

本规范共9章和19个附录，主要技术内容包括：总则、术语和符号、基本规定、规划阶段工程地质勘察、预可行性研究阶段工程地质勘察、可行性研究阶段工程地质勘察、招标设计阶段工程地质勘察、施工详图设计阶段工程地质勘察、抽水蓄能电站工程地质勘察等。

本规范修订的主要技术内容：

1. 重新规定了地震安全性评价的要求。

2. 增加了水库影响区界定、边坡和泥石流勘察评价等有关内容。

3. 调整了各阶段水库移民工程勘察工作的内容和要求。

4. 增加了附录E、附录M，修改了其他部分附录的内容。

本规范以黑体字标志的条文为强制性条文，必须严格执行。

本规范由住房城乡建设部负责管理和对强制性条文的解释，水电水利规划设计总院负责具体内容的解释。请各单位在执行过程中，注意总结经验，积累资料，随时将有关意见反馈给水电水利规划设计总院（地址：北京市西城区六铺炕北小街2号，邮政编码：100120）以供今后修订时参考。

本规范主编单位、参编单位、主要起草人和主要审查人：

主 编 单 位：中国电力企业联合会

　　　　　　水电水利规划设计总院

参 编 单 位:中国电建集团北京勘测设计研究院有限公司
中国电建集团华东勘测设计研究院有限公司
中国电建集团中南勘测设计研究院有限公司
中国电建集团成都勘测设计研究院有限公司
中国电建集团贵阳勘测设计研究院有限公司
中国电建集团昆明勘测设计研究院有限公司
中国电建集团西北勘测设计研究院有限公司
中国水利水电科学研究院
中国地震局地质研究所
河海大学
长江勘测规划设计研究有限责任公司
广东省水利电力规划勘测设计研究院

主要起草人:王惠明　彭土标　李文纲　袁建新　王文远
万宗礼　杨益才　单治钢　米应中　胡大可
廖明亮　杨玉生　王　昆　叶志平　徐锡伟
李树武　夏宏良　郭维祥　谢定松　周志芳
吴永锋　王汇明　邹文志　王志硕

主要审查人:杨　建　朱建业　许松林　汪　毅　郭义华
陈卫东　王自高　徐建强　石安池　刘　昌
肖万春　吴鹤鹤　戴其祥　王锦国　吴国荣
李长银　杜　刚

目　　次

Contents

1 总 则

1.0.1 为统一水力发电工程(以下简称水电工程)地质勘察,明确各设计阶段勘察工作的任务、内容和技术要求,保证勘察工作质量,编制本规范。

1.0.2 本规范适用于大型水电站和抽水蓄能电站工程的地质勘察工作。

1.0.3 水电工程地质勘察,除应符合本规范外,尚应符合国家现行有关标准的规定。

2 术语和符号

2.1 术　　语

2.1.1　工程地质测绘　engineering geological mapping

将测区实地调查收集的各项地质资料,经过分析整理后按一定比例绘制在地理基础底图或地形图上的工作。

2.1.2　勘探工程　exploration engineering

用以查明地下岩土体和地下水特征的探坑、竖井、钻孔、平洞等勘探工作的总称。

2.1.3　工程地质条件　engineering geological conditions

与工程有关的地形、地貌、地层岩性、地质构造、水文地质、物理地质现象等地质情况的总称。

2.1.4　区域构造稳定　regional structure stability

建筑物所在地区一定范围、一定地质历史时期内,断层和地震的活动性。

2.1.5　水库诱发地震　reservoir-induced earthquake

在特殊的地质背景下,因水库蓄水引起水库及其附近地区内新出现的、与当地天然地震活动规律明显不同的地震活动。

2.1.6　高压压水试验　high pressure water test

测定岩体在高水头作用下的渗透特性、渗透稳定性及其结构面张开压力的现场压水试验。

2.1.7　岩石质量指标　rock quality designation(RQD)

用直径为 75mm 的金刚石钻头和双层岩芯管在岩石中钻进,连续取芯,回次钻进所取岩芯中,长度大于 10cm 的岩芯段长度之和与该回次进尺之比值,是表征岩体的节理、裂隙等发育程度的指标,以百分数表示。

2.1.8 结构面连通率 structural surface persistence ratio

岩体沿某一剪切方向发生剪切破坏所形成的破坏路径中结构面所占的比例。

2.1.9 透水率 permeable rate

钻孔压水试验测得的岩体渗透性指标。透水率的单位为吕荣(Lu)。

2.1.10 岩体工程地质分类 engineering geological classification of rock mass

按照岩体的结构特征和物理力学性质划分的岩体工程地质条件标准及类别。

2.1.11 软弱结构面 structural surface of weakness

力学强度明显低于围岩,一般充填有一定厚度软弱物质的结构面。

2.1.12 潜在不稳定体 latent unstable rock and soil

现状基本稳定,在今后一定时间内,受各种作用的影响,可能产生失稳现象的岩土体。

2.1.13 水库影响区 influence area of reservoirs

由水库蓄水引起的滑坡、塌岸、浸没、内涝、水库渗漏范围及其他受水库蓄水影响的区域。

2.2 符　　号

α——风化岩纵波速与新鲜岩纵波速之比;

f——摩擦系数;

c——凝聚力;

K——渗透系数;

E_0——变形模量;

ρ_c——土中黏粒含量;

e——土的孔隙比;

J_{cr}——临界水力比降;

$N_{63.5}$——重型圆锥动力触探锤击数或标准贯入锤击数；

W_L——液限；

I_L——液性指数；

R_b——岩石饱和单轴抗压强度；

S——围岩强度应力比；

σ_m——围岩最大主应力；

K_V——岩体完整性系数。

3 基 本 规 定

3.0.1 水电工程地质勘察应分为规划、预可行性研究、可行性研究、招标设计和施工详图设计五个阶段。各勘察阶段的工作,应目标明确、重点突出,并与相应设计阶段的工作深度相适应。

3.0.2 各阶段的工程地质勘察工作应根据勘察任务书或勘察合同的要求确定。勘察任务书或勘察合同应明确勘察阶段、工程特性指标、设计意图和勘察工作要求,并应附工程枢纽布置图。

3.0.3 勘察单位在开展野外工作之前,应收集和分析工程场区已有的地质资料,并进行现场踏勘,了解工程场区的自然条件和工作条件,根据任务书或合同要求,按本规范的基本要求编制工程地质勘察大纲。勘察工作过程中,宜根据具体情况的变化,适时对工程地质勘察大纲进行调整。

3.0.4 工程地质勘察大纲应包括下列内容:

1 勘察阶段和勘察目的、任务。

2 工程概况、工程场区地形地质情况和工作条件。

3 前阶段工程地质勘察的主要结论及审查主要意见。

4 勘察重点、技术路线和工作思路。

5 勘察内容、工作方法和技术要求。

6 计划工作量及进度。

7 提交成果内容及数量。

8 项目管理。

9 质量、环境、职业健康安全管理措施。

10 勘探工作布置图。

3.0.5 水电工程建设前必须按国家基本建设程序开展地质勘察工作。地质勘察工作应按勘察程序进行,并保证勘察工作量和勘察周期。

3.0.6 水电工程地质勘察应根据工程地质问题的性质、水工建筑物的类型和规模以及各阶段勘察任务的要求，布置地质勘察工作，综合运用各种勘探手段和方法。

3.0.7 应重视基础地质勘察资料的收集，各项资料应真实、准确、完整，并及时整理和分析。

3.0.8 各阶段工程地质勘察应先进行工程地质测绘，并根据勘察阶段、工程特点和工程区地质条件选定工程地质测绘比例尺。工程地质测绘内容和精度要求应符合现行行业标准《水电水利工程地质测绘规程》DL/T 5185 的规定。

3.0.9 应根据工程区的地形、岩土地球物理特性、探测目的等选择物探方法，并结合地质分析与其他勘探资料进行物探成果的解译。物探工作应符合现行行业标准《水电水利工程物探规程》DL/T 5010 的规定。

3.0.10 钻孔、坑探、平洞、竖井等勘探工程应综合利用。应根据地形地质条件、水工建筑物特点和勘察任务选择勘探工程。应做好勘探工程的方案设计或施工技术计划，采取措施，确保勘探工程的成果质量和施工安全。钻探和坑探的技术要求应符合现行行业标准《水电水利工程钻探规程》DL/T 5013 和《水电水利工程坑探规程》DL/T 5050 的规定。

3.0.11 岩土试验应采用室内试验和原位测试相结合的原则。土工试验应以室内试验为主、原位测试为辅；岩石试验应室内试验和原位测试并重。试验项目、数量和方法应结合地质条件、勘察阶段和工程特点确定。室内试验的试样和原位测试的试点应具有代表性。应做好试样和试点的地质描述。土工试验的技术要求应符合现行行业标准《水电水利工程土工试验规程》DL/T 5355 的规定，岩石试验的技术要求应符合国家现行标准《工程岩体试验方法标准》GB/T 50266 和《水电水利工程岩石试验规程》DL/T 5368 的规定。

3.0.12 应根据自然条件、工程特点、观测目的、勘察阶段等做好原位观测设计和实施,并及时整理和分析观测资料。

3.0.13 应紧密结合水工建筑物设计方案以及施工过程中揭露的地质情况,对各种勘察资料和工程地质问题进行综合分析。

3.0.14 工程地质勘察工作结束后,应编制工程地质勘察报告。工程地质勘察报告应由正文、附图、附件组成。正文应文字简练、结论有据,附图应清晰实用。

4 规划阶段工程地质勘察

4.1 一般规定

4.1.1 规划阶段工程地质勘察应了解和分析河流各梯级开发方案的工程地质条件,对近期开发工程的选择和控制性工程进行地质论证,并应提供工程地质资料。

4.1.2 规划阶段的勘察任务应包括下列内容:

　　1 了解规划河流或河段的区域地质和地震概况。

　　2 了解各梯级水库的地质条件和主要工程地质问题,分析成库条件。

　　3 了解各梯级坝址的工程地质条件和主要工程地质问题,分析建坝条件。

　　4 了解长引水线路及厂址的工程地质条件。

　　5 了解各梯级坝址附近的天然建筑材料的赋存情况。

　　注:长引水线路指长度大于2km的隧洞或渠道。

4.2 区域地质和地震

4.2.1 规划河流或河段的区域地质和地震勘察应包括下列内容:

　　1 区域的地形地貌形态、规划河流(河段)的河谷类型、阶地发育情况和分布范围。

　　2 区域内沉积岩、岩浆岩和变质岩的分布范围、形成时代和岩性、岩相特点,第四纪沉积物的成因类型和组成物质。

　　3 区域内的主要构造单元、褶皱和断裂的类型、产状、规模和构造活动史,历史地震情况和地震动参数等。

　　4 大型泥石流、滑坡、崩塌等的发育和分布情况。

　　5 主要含水层、隔水层、岩溶的分布情况等区域水文地质特征。

4.2.2 区域地质勘察工作应在收集和分析各类最新区域地质资料的基础上,编绘规划河流或河段的区域综合地质图。当河流或河段缺乏区域地质资料时,应进行卫星照片或航空照片解译和路线地质调查,编绘区域综合地质图。

4.2.3 应收集地震目录、地震区划资料、相关地区地震研究资料和邻近区工程地震安全性评价成果,编绘区域构造与地震震中分布图,按现行国家标准《中国地震动参数区划图》GB 18306 确定各梯级地震动参数。

4.2.4 在区域地质、地震和重大物理地质现象勘察研究的基础上,应根据工程地质条件对规划河流或河段进行地段划分。工程场址宜选在建筑抗震有利地段或一般地段,避开不利地段和危险地段。

4.2.5 规划河流或河段的区域综合地质图的比例尺可选用1:500000～1:100000,范围应满足规划方案的要求。

4.3 水　　库

4.3.1 各梯级水库勘察应包括下列内容:

　　1 了解水库的地形地貌、地质和水文地质条件。

　　2 了解对水库有重大影响的滑坡、潜在不稳定岸坡、泥石流、可能发生的塌岸和浸没等的分布范围。

　　3 了解可溶岩地区的岩溶发育情况,含水层和隔水层的分布范围,邻谷及坝址下游支流(沟谷)的河水位,分水岭的地下水位,并对水库产生永久渗漏的可能性进行分析。

4.3.2 水库勘察可结合区域地质勘察工作进行。当水库可能存在影响梯级方案成立的渗漏、库岸稳定等工程地质问题时,应进行水库区工程地质测绘,并可根据需要布置勘探工作。

4.3.3 水库工程地质测绘比例尺可选用1:100000～1:50000,可溶岩地区可选用1:50000～1:25000。水库渗漏的工程地质测绘范围应扩大至分水岭及邻谷。

4.4 坝　　址

4.4.1 各梯级坝址勘察应包括下列内容:

1 了解坝址的地形地貌特征。

2 了解坝址的地层岩性,基岩类型、软弱岩层的分布情况及第四纪沉积物的成因类型,两岸及河床覆盖层的厚度、层次和组成物质,特殊土的分布等。

3 了解坝址的地质构造类型、规模和性状,特别是区域性断层和第四纪断层。

4 了解坝址岩体的风化、卸荷、松动变形及滑坡、崩塌、冲沟泥石流等物理地质现象和岸坡稳定情况。

5 了解坝址的地震动参数和相应的地震基本烈度。

6 了解可溶岩地区的岩溶发育情况,透水层和隔水层的分布情况。

7 了解坝址岩土体的渗透性、地下水埋深及水化学特性等水文地质条件。

8 了解坝址附近天然建筑材料的种类及数量。

4.4.2 近期开发工程和控制性工程坝址勘察除应符合本规范第4.4.1条的要求外,尚应包括下列内容:

1 坝基中主要软弱夹层的层位、性状和分布情况。

2 坝基中主要断层特别是缓倾角断层的性状及其延伸情况。

3 坝基岩体的稳定条件。

4 建筑在第四纪沉积物上的坝(闸)的地基土层的层次、厚度、性状、渗透性及物理力学特性。

4.4.3 坝址的勘察方法应符合下列规定:

1 工程地质测绘比例尺可选用 1:10000～1:5000,测绘范围应包括比较坝址、绕坝渗漏的岸坡地段以及坝址附近低于水库水位的垭口、古河道等;当比较坝址相距大于 2km 时,可分别进行工程地质测绘。

2 物探应采用地面物探方法,横河物探剖面不应少于 3 条,近期开发工程和控制性工程坝址的物探剖面宜为 4 条~5 条。

3 坝址勘探布置应符合下列规定:

    1) 各梯级坝址不宜少于 1 条勘探剖面,勘探剖面线上宜布置 2 个~3 个钻孔,近期开发工程和控制性工程坝址勘探剖面线上不应少于 3 个钻孔,其中河床部位不应少于 1 个钻孔,两岸各不应少于 1 个钻孔或平洞。

    2) 河床钻孔深度宜为坝高的 50%~100%。在深厚覆盖层河床或地下水位低于河水位地段,钻孔深度可根据需要加深。

    3) 基岩钻孔应进行压水试验。

4 主要岩、土、地表水和地下水应进行鉴定性试验。近期开发工程和控制性工程可根据需要进行现场简易试验。

注:深厚覆盖层河床指覆盖层厚度大于 40m 的河床。

4.4.4 各梯级坝址应进行天然建筑材料普查。

4.5　长引水线路

4.5.1 长引水线路勘察应包括下列内容:

1 了解沿线地形地貌特征。

2 了解地层岩性,第四纪沉积物的分布和成因类型。

3 了解地质构造,特别是断层的规模和性状。

4 了解沟谷、浅埋段、进出口地段的覆盖层厚度,岩体的风化、卸荷特征和山坡的稳定状况。

5 了解沿线的水文地质条件,可溶岩区的岩溶发育特征。

6 了解厂址的工程地质条件。

4.5.2 长引水线路的勘察方法应符合下列规定:

1 应进行工程地质测绘,比例尺可选用 1:50000~1:10000,测绘范围应包括线路两侧各 1km 地带,可岩溶地区可适当加宽。

2 应根据地形和岩土物性条件,选用适宜的物探方法。

3 引水线路穿越沟谷或深厚覆盖层地段及厂址可布置勘探钻孔。

4.6 勘 察 报 告

4.6.1 规划阶段工程地质勘察报告正文应包括概述、区域地质和地震、规划河流（河段）工程地质分段、各梯级方案的工程地质条件、结论等。

4.6.2 概述应包括规划方案、规划河流或河段的地理概况，以往地质研究程度和本阶段勘察完成的工作量。

4.6.3 区域地质概况应包括流域或河段的地形地貌、区域地质和区域水文地质条件，区域构造格架和地震活动性等。

4.6.4 规划河流（河段）分段应包括分段的依据、地段划分及对各地段第四纪断层活动性、历史地震情况、地形地貌、地层岩性、河谷地质结构及重大物理地质现象的论述。

4.6.5 各规划梯级方案的工程地质条件应按梯级次序分章编写，各章可分为水库、坝址，以及长引水线路及厂址等节编写，并应包括下列内容：

　　1 水库的工程地质条件应包括水库区地质条件的描述和有关渗漏、库岸稳定、浸没等问题的初步分析。

　　2 坝址的工程地质条件应包括场址区基本构造格架、地震动参数及相应地震基本烈度；坝址区地形地貌、地层岩性、地质构造、物理地质现象和水文地质条件，坝址工程地质条件的初步分析和天然建筑材料的概况。

　　3 长引水线路的工程地质条件应包括沿线地形地貌、地层岩性、地质构造、物理地质现象和水文地质条件，对引水线路和厂址等工程地质条件进行初步分析。

4.6.6 结论应包括对规划方案和近期开发工程选择以及控制性工程的地质分析论证意见和对预可行性研究阶段工程地质勘察工作的建议。

4.6.7 规划阶段工程地质勘察报告的附图、附件应符合本规范附录 A 的规定。

5 预可行性研究阶段工程地质勘察

5.1 一 般 规 定

5.1.1 预可行性研究阶段工程地质勘察应在江河流域综合利用规划或河流(河段)水电规划确定的梯级基础上,初选代表性坝(闸)址,并应对代表性坝(闸)址和代表性枢纽布置方案进行工程地质初步评价,提供有关工程地质资料。

5.1.2 预可行性研究阶段的勘察任务应包括下列内容:

　　1 进行区域构造稳定性研究,并对工程场地构造稳定性和地震安全性做出评价。

　　2 初步查明水库区的主要工程地质条件,并对影响方案成立的主要工程地质问题做出初步评价。

　　3 初步查明坝(闸)址、引水线路、厂址和泄洪设施等建筑物场地的主要工程地质条件,并对影响方案成立的重大工程地质问题和代表性坝址枢纽布置方案的主要工程地质条件做出初步评价。

　　4 对代表性坝型所需主要天然建筑材料进行初查。

　　5 初步分析评价移民集中安置点场地的整体稳定性和工程建设适宜性。

5.2 区域构造稳定性

5.2.1 区域构造稳定性研究应包括下列内容:

　　1 区域构造背景研究。

　　2 断层活动性鉴定。

　　3 地震安全性评价。

5.2.2 区域构造背景研究应符合下列规定:

1 应收集研究坝址周围不小于 150km 范围内的地层岩性、表部和深部地质构造、区域性活动断裂、现代构造应力场、重磁异常等地球物理场、第四纪火山活动情况及地震活动性等资料,进行 Ⅱ 级、Ⅲ 级大地构造单元和地震区划分,并分析其稳定性。

2 应查明坝址近场区 25km 范围内的区域性断裂、断裂活动性。

3 临近区域性活动断裂时,应进行坝址及 5km 范围内的专门性构造地质测绘,鉴定对坝址有影响的活动断层。

4 应在区域构造背景研究和近场区构造调查的基础上,编制区域综合构造地质和震中分布图,编图范围至少应包括Ⅱ级、Ⅲ级大地构造单元及其邻近地区;区域性综合地质测绘编图比例尺宜选用 1:500000～1:100000,近场区地质测绘比例尺宜选用 1:250000～1:100000,专门性构造地质测绘比例尺宜选用 1:100000～1:25000。

5.2.3 断层活动性质鉴定内容应包括活动断层的识别,最新活动年龄,活动性质,全新世滑动速率、位移量和现今活动强度等的判定。具体技术要求宜按现行行业标准《活动断层探测》DB/T 15 的规定执行。

5.2.4 活动断层可根据下列标志直接判定:

1 错动晚更新世(Q_3)以来地层的断层。

2 断裂带中的构造岩或被错动的脉体,经绝对年龄测定,最后一次错动年代距今约 10 万年及小于 10 万年。

3 根据仪器观测,沿断裂带有大于 0.1mm/a 的位移。

4 沿断层有历史和现代强震震中分布,或有历史地震地表破裂,或有晚更新世以来确切的古地震遗迹,或有密集而频繁的近期微震活动。

5.2.5 具有下列(新活动)现象的断层,应结合其他相关资料,进行充分的论证,以确定该断层的活动性质:

1 经证实,与已知活动断层有构造联系的断层。

2 沿断层晚更新世以来同级阶地发生错位;在跨越断层处,水系、山脊有明显的同步转折现象,或断层两侧晚更新世以来的沉积物厚度有明显的差异。

3 沿断层有断层陡坎,断层三角面平直新鲜,山前分布有连续的大规模的崩塌或滑坡,沿断层有串珠状或呈线状分布的斜列式盆地、沼泽和承压泉等。

4 沿断层有明显的重力失衡带分布。

5.2.6 活动断层的活动年龄应根据下列鉴定结果综合判定:

1 断层上覆的未被错动地层的年龄。

2 断层中最新构造岩或脉体的年龄。

3 被错动的最新地层或地貌单元的年龄。

5.2.7 活动断层的位移量应通过观测、地震断裂调查等综合评定。

5.2.8 工程场地应开展地震安全性评价工作,地震安全性评价成果应经国家或省级地震主管部门审批。

5.2.9 地震安全性评价应包括工程使用期限内,不同超越概率水平下,场址地震动参数及相应的地震基本烈度。

5.2.10 在构造稳定性方面,坝址的选择应符合下列规定:

1 坝址不宜选在震级为 7.0 级及以上的历史地震震中区或地震基本烈度为Ⅸ度及以上的强震区。

2 大坝等挡水建筑物不应建在已知的活动断层上。

5.3 水 库

5.3.1 水库勘察应包括下列内容:

1 初步查明水库区的水文地质条件,对可能的严重渗漏地段和渗漏类型进行初步评价。

2 初步查明库岸稳定条件,初步评价对工程的影响以及对重要城镇、居民区的可能影响。

3 初步查明可能产生严重浸没地段的地质及水文地质条件,

并进行初判。

4 初步预测水库诱发地震的潜在危险性。

5 初步查明移民集中安置点和专项复建工程场地的工程地质条件,初步评价场地的整体稳定性和工程建设适宜性。

5.3.2 水库渗漏勘察应包括下列内容:

1 初步查明可溶岩、大的断层破碎带、古河道、单薄分水岭等的分布和水文地质条件,初步分析产生水库永久渗漏的可能性。

2 可溶岩地区应初步查明岩溶的发育规律和分布特征,主要岩溶通道的延伸和连通情况,隔水层的分布、厚度变化、隔水性能和构造封闭条件,地下水分水岭位置,地下水位和地下水的补给、径流、排泄条件,岸边地下水低槽的分布和水位等。初步分析渗漏性质,初步评价其对建库的影响程度和处理的可能性。岩溶渗漏评价应符合本规范附录 B 的规定。

3 修建在悬河上的水库应重点调查水库的垂向和侧向渗漏情况。

5.3.3 库岸稳定勘察应包括下列内容:

1 初步查明水库区对工程建筑物、重要城镇和居民区环境有影响的滑坡、崩塌和其他潜在不稳定岸坡以及泥石流等的分布、范围和体积;初步评价其在水库蓄水前和蓄水后的稳定性及其危害程度。

2 覆盖层组成的库岸,应初步预测水库塌岸的范围。

5.3.4 对可能产生严重浸没地段的勘察应包括下列内容:

1 初步查明水库周边的地貌特征,潜水含水层的厚度,岩性岩相、分层和夹层,基岩或相对隔水层的埋藏条件,地下水位和地下水的补排条件。

2 初步查明含水层的颗粒组成、渗透性、给水度、饱和度、易溶盐含量、土的物理力学性质等。

3 初步查明主要农作物种类、根系层厚度、毛细管水上升带的高度,临界地下水位的实验和观测资料,地区土壤盐渍化和沼泽化的历史及现状。

4 初步查明城镇和居民区建筑物的基础砌置深度等。

5 初步查明岩溶地区水库邻近的洼地的分布高程、地质构造、岩溶发育与连通情况、地表径流与地下水的补给、排泄条件、地下水与河水或库水的水力联系等。

6 初步判断并预测可能的浸没范围。浸没初判应符合本规范附录C的规定。

5.3.5 水库诱发地震潜在危险性预测宜符合下列要求：

1 水库诱发地震潜在危险性预测宜包括可能诱发地震的地段及可能发生诱发地震的类型、最大震级和烈度。

2 水库诱发地震的可能发震地段，可根据库区的地质环境、地应力状态、孕震构造、岩体的导水性、可溶岩分布及岩溶发育情况、发震机理等初步判定。

3 水库诱发地震的强度可根据发震断裂的长度、岩溶发育程度、已有震例的工程类比或区域地震活动水平进行初步估计。

5.3.6 水库移民集中安置点和专项复建工程勘察应包括下列内容：

1 调查规划场地的区域构造稳定性及场地的地形地貌、地层岩性、地质构造特征。

2 初步查明影响场地稳定性的活动性断裂的分布及滑坡、崩塌堆积体、泥石流等不良物理地质现象，初步评价场地的整体稳定性和工程建设适宜性。

3 专项复建工程的地质勘察应按工程类型和规模依据相关技术标准规定的内容进行。

5.3.7 水库的勘察方法应符合下列规定：

1 工程地质测绘的比例尺可选用 1:50000～1:10000，对可能威胁工程及重要城镇、居民区安全的滑坡体和潜在不稳定岸坡，应采用更大的比例尺。在进行工程地质测绘前，宜进行航空照片和卫星照片的解译。

2 工程地质测绘范围除包括整个库盆外,尚应包括下列地区:

    1)岩溶地区应包括可能存在渗漏通道的河间地块、邻谷和坝的下游地段;

    2)水库正常蓄水位以上可能浸没区所在阶地后缘或相邻地貌单元的前缘、两岸及坝址下游附近的塌滑体、泥石流沟和潜在不稳定岸坡分布地段。

3 应根据地形、地质条件,采用综合物探方法,探测库区滑坡体、松散堆积体、可能发生渗漏或浸没地段的地下水位、地下水流速与岩溶通道、隐伏大断层破碎带的埋藏和延伸情况等。

4 水库区的勘探布置应符合下列规定:

    1)渗漏地段水文地质勘探剖面应平行地下水流向或垂直渗漏地段布置。勘探剖面线上的钻孔,应进入可靠的相对隔水层或枯水期水位以下一定深度。

    2)浸没区水文地质勘探剖面应垂直库岸或平行地下水流向布置。勘探点宜采用钻孔或探坑,探坑宜挖到地下水位,钻孔宜进入相对隔水层。

    3)塌岸预测剖面应垂直库岸布置,靠近岸边的探坑、钻孔应进入水库死水位或相当于陡坡脚高程以下。

    4)塌滑体应按塌滑体的滑动方向布置纵横剖面。剖面线上的探坑、钻孔、竖井或平洞应进入下伏的稳定岩土体或沿已知的滑动面掘进。

5 岩土试验应根据需要,结合勘探工程布置。有关岩土物理力学性质参数,可根据试验成果或按工程地质类比法选用。岩土物理力学性质参数的取值应符合本规范附录 D 的规定。

6 可能发生渗漏或浸没的地段应利用已有钻孔和水井进行地下水位观测。重点地段宜埋设长期观测设施。地下水动态观测时间不应少于一个水文年。

7 近坝库区的不稳定岸坡宜设置简易的岩土体位移监测和

地下水观测设施。

8 移民集中安置点及专项复建工程的勘察应结合区域地质和水库区地质勘察工作进行,对各移民集中安置点开展地质调查,初步评价规划安置点场地的整体稳定性和工程建设适宜性。对县城、中心集镇宜加深勘察工作深度,布置勘探工作。场地整体稳定性和工程建设适宜性的初步评价应符合本规范附录 E 的规定。

5.4 坝 址

5.4.1 坝址勘察应包括下列内容:

1 初步查明河床和两岸第四纪沉积物的分布、厚度、层次结构、组成物质、成因类型等,湿陷性黄土、软土、膨胀土、分散性土、粉细砂和架空层等的分布和河床深槽、埋藏谷、古河道的分布。

2 初步查明基岩岩性、岩相特征,进行工程地质岩组划分。初步查明软岩、易溶岩、膨胀性岩层和软弱夹层等的分布和厚度,分析其对坝基或边坡岩体稳定的可能影响。

3 初步查明坝址区主要断层、挤压破碎带的产状、性质、规模、延伸情况、充填和胶结情况以及断层晚更新世以来的活动性,应特别注意对顺河断层和中、缓倾角断层的调查;进行节理裂隙统计和结构面分级;分析各类结构面及其组合对坝基、边坡岩体稳定和渗漏的影响。岩体结构面分级应符合本规范附录 F 的规定。

4 初步查明岩体的风化、卸荷深度和程度。岩体风化带、卸荷带的划分应分别符合本规范附录 G 和附录 H 的规定。

5 初步查明对代表性坝址选择和枢纽建筑物布置有影响的滑坡、倾倒体、松散堆积体、潜在不稳定岩体及卸荷岩体的分布,初步评价建筑物和周边自然边坡的稳定性。边坡稳定分析应符合本规范附录 J 的规定。

6 初步查明泥石流的规模、发生条件,初步分析其对工程的影响。

7 初步查明坝址区岩土的渗透性、相对隔水层的埋深、厚度和连续性,地下水位、补排关系等水文地质条件,地表水和地下水对混凝土的腐蚀性。环境水对混凝土腐蚀性的评价应符合本规范附录 K 的规定。

8 可溶岩区应初步查明岩溶的分布状况和发育规律,主要岩溶洞穴和岩溶通道的规模、分布、连通和充填情况,结合坝址区水文地质条件,分析可能发生渗漏的地段、渗漏类型及对工程的影响程度,并提出处理措施的有关建议。

9 进行岩土物理力学性质试验。岩土物理力学性质参数取值应符合本规范附录 D 的规定。

5.4.2 坝址的勘察方法应符合下列规定:

1 工程地质测绘比例尺可选用 1:5000~1:2000。

2 工程地质测绘范围应包括下列地段:

1)各比较坝址,包括主坝、副坝、溢洪道、厂房和导流工程等有关枢纽建筑布置地段;

2)与阐明各比较坝址工程地质条件有关的地段和邻近区域,包括坝顶以上以及坝址上、下游危及工程安全运行的可能失稳自然岸坡;

3)当比较坝址相距在 2km 以上时,可分别单独测绘成图。

3 物探布置应符合下列规定:

1)物探方法应根据坝址区的地形、地质条件等确定;

2)物探剖面线结合勘探剖面布置,并应充分利用钻孔进行综合测井;

3)坝址两岸应利用平洞进行岩体弹性波波速测试。

4 坝址的勘探布置应符合下列规定:

1)各比较坝址应有一条主要勘探剖面,坝高 70m 及以上的代表性坝址和工程地质条件复杂的比较坝址,宜在主要勘探剖面线上、下游增加辅助勘探剖面;

2)主要勘探剖面线上的勘探点间距不应大于 100m,河床部位不应少于 2 个钻孔,两岸坝肩部位,在设计正常蓄水位以上，也宜布置钻孔；

3）存在缓倾角软弱夹层的坝址，可布置竖井或大口径钻孔；

4）两岸坝肩部位应布置勘探平洞，当坝高在 70m 及以上时，可根据需要分高程增加勘探平洞；

5）当存在影响代表性坝址选择的顺河断层、软弱夹层、河床深槽和潜在不稳定岸坡等不良地质现象时，应布置钻孔或平洞；

6）可溶岩地区坝址两岸应根据需要布置水文地质专门性钻孔。

5 坝址的钻孔深度应符合下列要求：

1）河床钻孔深度：当坝高大于或等于 70m 时，钻孔进入基岩的深度为 50%～100%坝高，当坝高小于 70m 时，钻孔进入基岩的深度不应小于 1.0 倍坝高；

2）两岸岸坡上的钻孔宜达到河水位或地下水位高程以下，并应进入相对隔水层；

3）控制性钻孔或专门性钻孔的深度应按实际需要确定。

6 深厚覆盖层河流上的坝、闸址勘探应符合下列规定：

1）勘探剖面和勘探点应结合建筑物布置；

2）主要勘探剖面线上的钻孔间距宜控制在 50m～100m 之间；

3）河床钻孔的深度应符合表 5.4.2 的规定。当在此深度内遇有泥炭、软土、粉细砂及强透水层等不良土层时，钻孔应进入下伏的承载力较高的土层或相对隔水层；可溶岩地区可视具体情况适当加深。

表 5.4.2 深厚覆盖层河床钻孔进入基岩深度（m）

覆盖层厚度 h	孔　深	
	坝高 $H \geqslant 70$	坝高 $H < 70$
$h \geqslant 40$ 且 $h < H$	>50	$30 \sim 50$
$h \geqslant 40$ 且 $h > H$	$10 \sim 20$	

7 水文地质测试应符合下列要求：

1）基岩钻孔应进行压水试验，并应收集钻进过程中的水文地质资料。

2）第四系地层中的钻孔，应在钻进过程中观测地下水位，并应划分含水层和相对隔水层，主要含水层宜布置抽水试验，测定渗透系数。

3）岩溶发育区应在钻进过程中观测地下水位，并应划分含水层、相对隔水层和隔水层；根据实际情况应进行连通试验。

4）应取水样进行水质分析。

8 岩土试验应符合下列规定：

1）每一主要岩土层的室内试验累计组数不应少于6组；

2）土基勘探应根据土的类型进行标准贯入试验、动力触探、静力触探和十字板剪切试验等钻孔原位测试；

3）控制混凝土坝坝基稳定和变形的岩土层可进行原位抗剪和变形试验。

9 勘察期间应进行地下水动态观测。对推荐的代表性坝址应进行地下水动态长期观测，观测时间不应小于一个水文年。

10 影响代表性坝址选择的潜在不稳定岸坡宜进行岸坡位移监测。

5.5 引水线路

5.5.1 引水隧洞线路勘察应包括下列内容：

1 初步查明隧洞沿线的地形地貌、物理地质现象及其分布。

2 初步查明隧洞沿线地层岩性，应重点调查松散、软弱、膨胀、可溶以及含放射性矿物与有害气体等岩层的分布。

3 初步查明隧洞沿线的褶皱、主要断层破碎带等各种类型结构面的产状、规模、延伸情况，初步评价其对进出口边坡和地下洞室围岩稳定的影响。

4 初步查明主要含水层、汇水构造和地下水溢出点的位置和高程,补排条件以及与地表溪沟连通的断层破碎带、岩溶通道和采空区等的分布,对隧洞掘进时突然涌水的可能性及对围岩稳定和环境水文地质条件的可能影响做出初步评价。

5 初步查明隧洞进出口段、过沟段、傍山洞段和浅埋洞段、压力管道等的覆盖层厚度、基岩的风化深度和卸荷发育深度等,并对其所通过的山体及进出口边坡的稳定性做出初步评价。

6 了解隧洞区的地应力状况,初步分析其对隧洞围岩稳定、施工及运行的可能影响。

7 进行岩石物理力学性质试验,并进行隧洞工程地质分段和围岩初步分类。围岩工程地质初步分类应符合本规范附录 L 的规定。

5.5.2 渠道线路勘察应包括下列内容:

1 初步查明渠道沿线的地形地貌、岩溶塌陷区、滑坡、崩塌堆积、泥石流、古河道、移动沙丘、采空区等的分布。

2 初步查明渠道沿线的覆盖层厚度、地层岩性,应特别注意岩盐、石膏、岩溶化岩层、膨胀岩、泥炭、软土、粉细砂、分散性土、冻土层、湿陷性黄土等工程地质性质不良岩土层的分布。

3 初步查明地质构造、软弱夹层及主要结构面的分布组合情况。

4 初步查明傍山渠道沿线基岩风化情况、卸荷带深度。

5 初步查明渠道沿线的地下水位、水质、强透水层和隔水层分布,地表水和地下水的补排关系,土壤盐渍化和沼泽化的情况。

6 进行渠道工程地质初步分段,对可能发生的严重渗漏、浸没、黄土湿陷和边坡稳定性等工程地质问题做出初步评价。黄土湿陷性判别应符合现行国家标准《湿陷性黄土地区建筑规范》GB 50025 的规定。

5.5.3 引水线路的勘察方法应符合下列规定:

1 工程地质测绘比例尺可选用 1:25000～1:10000。

2 引水线路的工程地质测绘范围应包括隧洞或渠道各比较线路及其两侧各 300m～1000m 地带。岩溶地区可根据实际情况增加测绘宽度。

3 可采用综合物探方法探测覆盖层厚度、地下水位、古河道、隐伏断层、岩溶洞穴等，并可利用钻孔和平洞进行综合测井、弹性波波速等岩体动力参数测试。

4 勘探布置应符合下列规定：

1）隧洞沿线的勘探钻孔可布置在隧洞进出口、傍山和跨沟等地段；其他存在重大工程地质问题的地段可布置专门性勘探钻孔。

2）渠道上的探坑、钻孔应结合沿线的地貌和工程地质分段布置，不同地段应有代表性勘探剖面，傍山渠道上探坑、钻孔的布置，可根据需要确定。

3）引水线路沿线进水闸、调压井、闸门井等建筑物部位，宜布置勘探剖面和钻孔。

4）隧洞钻孔深度宜进入洞底高程以下 10m～30m，但不应小于 1 倍洞径；渠道钻孔宜进入设计渠底高程以下 5m～10m，或到达地下水位以下，或进入下伏的相对隔水层。

5）钻孔钻进过程中应收集水文地质资料，并应根据需要进行抽水试验、压水试验和地下水动态观测。

6）隧洞进出口宜布置勘探平洞。

5 岩土物理力学性质试验应以室内试验和简易原位测试为主，第四纪土可进行标准贯入试验、动力触探、静力触探、十字板剪切试验等钻孔原位测试。

5.6 厂　　址

5.6.1 地面厂房勘察应包括下列内容：

1 初步查明厂址区的地形地貌、岩体风化情况、卸荷深度以及滑坡、崩塌堆积体、蠕变体、泥石流、岩溶、采空区等的分布及稳定或活动情况。

2 初步查明厂址区的地层岩性,软弱和易溶岩层、软土、粉细砂、湿陷性黄土、膨胀土和分散性土的分布与埋藏条件,并对岩土的物理力学性质和承载能力做出初步评价。

3 初步查明厂址区的断层、挤压破碎带、节理裂隙等的性质、产状、规模和展布情况,初步分析评价对厂址和边坡稳定的影响。

4 初步查明厂址区的水文地质条件,对水电站压力前池的渗漏和渗透稳定条件、基坑开挖中发生涌水、涌砂的可能性做出初步评价。

5 初步查明厂房区工程边坡及自然边坡工程地质条件,初步评价其稳定性。

5.6.2 地下厂房的勘察除应符合本规范第 5.5.1 条的规定外,尚应包括下列内容:

1 初步查明地下厂房和洞群布置地段的岩性组成和岩体结构,各类结构面的产状、规模、性状、挤压破碎情况、填充、延伸范围、空间展布以及相互切割组合情况,初步分析其对洞室围岩稳定性的影响。

2 了解地下厂房地段的地应力、地温、有害气体和放射性等情况,并初步分析其对洞室围岩稳定、施工及运行的可能影响。

5.6.3 厂址区的勘察方法应符合下列规定:

1 工程地质测绘比例尺可选用 1:5000～1:2000。

2 工程地质测绘范围应包括各比较方案的厂房、主变开关站(室)、尾水建筑物等地段以及与阐明各比较厂址工程地质条件有关的地段,包括厂房下游危及工程安全运行的可能失稳岸坡。

3 应采用综合物探方法探测覆盖层厚度、地下水位、古河道、隐伏断层、岩溶洞穴等,并应利用钻孔和平洞进行岩体弹性波波速等测试。

4 勘探布置应符合下列规定:

1)厂房区宜布置勘探剖面;

2）地面厂房区的钻孔应深入建基面以下 20m～30m,地下厂房区的钻孔宜进入设计洞底高程以下 10m～30m;

3）钻孔在钻进过程中应收集水文地质资料,并应进行抽水试验或压水试验及地下水动态观测;

4）地下厂房区或地面厂房区后边坡应布置勘探平洞。

5 岩土物理力学性质试验应以室内试验和简易原位测试为主,地下厂房可利用勘探平洞或钻孔进行岩体变形、岩体剪切、地应力、地温等原位测试;第四纪土可进行标准贯入、动力触探、静力触探、十字板剪切试验等钻孔原位测试。

5.7 泄水建筑物

5.7.1 溢洪道勘察应包括下列内容:

1 初步查明溢洪道布置区的地形地貌、地层岩性、地质构造、物理地质现象和水文地质条件,应重点调查覆盖层分布范围、厚度,岩体风化、卸荷深度,断层、挤压破碎带、软弱夹层、滑坡、崩塌堆积体等的分布及规模。

2 初步评价边坡稳定、泄洪闸地基抗滑和变形及渗透稳定条件,下游消能区岩土体的抗冲条件以及冲刷坑岸坡和雾化区边坡的稳定条件。

5.7.2 泄洪隧洞勘察可按本规范第 5.5.1 条的规定执行,并应初步分析泄洪隧洞出口冲刷雾化区岸坡的稳定条件。

5.7.3 泄水建筑物的勘察方法应符合下列规定:

1 工程地质测绘比例尺可选用 1∶5000～1∶2000,测绘范围应包括各比较方案的泄水建筑物布置地段及所毗邻地段,当与坝相距较近时,工程地质测绘应与坝址合并进行。

2 应针对泄洪闸等主要建筑物布置钻孔等勘探工作,对溢洪道高边坡地段可布置平洞或钻孔;钻孔深度宜进入设计建基面以下 20m～30m,基岩钻孔应进行压水试验。

3 影响建筑物稳定的主要岩土层应分层取样,进行岩土体物理力学性质试验。

5.8 天然建筑材料

5.8.1 在对工程所需天然建筑材料进行普查的基础上,应对初选代表性坝型所需的主要料源以及对方案比选有重大影响的料源进行初查。

5.8.2 天然建筑材料的初查储量宜达到设计需要量的 2.5 倍～3.0 倍。

5.9 勘察报告

5.9.1 预可行性研究阶段工程地质勘察报告正文应包括:概述、区域地质及构造稳定性、水库区工程地质条件、枢纽工程区工程地质条件、天然建筑材料以及结论和建议。

5.9.2 概述应包括工程概况、勘察地区的自然地理条件,历次所进行的勘察工作情况和研究深度,本阶段进行的工作项目和完成工作量等。

5.9.3 区域地质及构造稳定性应包括区域地形地貌、地层岩性、地质构造、物理地质现象和水文地质条件等。可溶岩地区应说明区域岩溶发育情况以及岩溶区地下水的补排条件。在论述地质构造时,应说明区域性断裂、断层活动性和地震活动性。应对区域构造稳定性和地震安全性做出评价。

5.9.4 水库区工程地质条件应包括库区的地质概况,水库渗漏、浸没、库岸稳定及水库诱发地震等工程地质问题及初步评价,水库移民集中安置点场地稳定性和工程建设适宜性的初步评价意见及专项复建工程地质条件的初步评价意见。

5.9.5 枢纽工程区的工程地质条件,应根据工程不同开发方式的建筑物布置,分坝址、引水发电系统、泄水建筑物、临时性建筑物等节编写。各节应包括下列内容:

    1 坝址工程地质条件应包括:坝段基本地质条件;对代表性

坝址的选择意见以及推荐代表性坝址的各主要建筑物的工程地质条件和主要工程地质问题的初步评价,对代表性坝型和枢纽布置方案的建议;提出建议的岩土物理力学性质参数。

2 引水发电系统的工程地质条件应包括:引水发电系统的基本地质条件,各比较线路和厂址的工程地质条件与代表性方案的选择,推荐代表性方案的工程地质条件和主要工程地质问题的初步评价。

3 泄水建筑物及其他建筑物的工程地质条件的内容,应根据建筑物的特点和地质条件确定。

5.9.6 天然建筑材料应包括勘察任务、各料场的位置、地形地质条件、勘探和取样、储量和质量及开采和运输条件等。

5.9.7 结论和建议应包括区域构造稳定性评价、水库主要工程地质问题初步评价、坝段及各比较坝址工程地质特点概述及初步评价、代表性坝址选择的工程地质意见、代表性坝址枢纽布置方案各主要建筑物的主要工程地质条件和工程地质问题的初步评价、主要天然建筑材料的储量和质量的初步评价以及对可行性研究阶段工程地质勘察的建议。

5.9.8 报告正文的内容,除应符合本规范第 5.9.1 条～第 5.9.7条规定外,尚应符合现行行业标准《水电工程预可行性研究报告编制规程》DL/T 5206 的规定;报告的附图、附件应符合本规范附录A 的规定。

6 可行性研究阶段工程地质勘察

6.1 一般规定

6.1.1 可行性研究阶段工程地质勘察应在预可行性研究阶段工作的基础上查明水库区、坝址区的工程地质条件，为选定坝址、坝型、坝线及枢纽布置提供地质依据，并对选定坝址各建筑物的工程地质条件、主要工程地质问题进行论证和评价，提供建筑物设计所需的工程地质资料。

6.1.2 可行性研究阶段的勘察任务应包括下列内容：

1 根据需要复核或补充区域构造稳定性及场地地震地质灾害评价。

2 查明水库区水文地质工程地质条件，分析与评价工程地质问题，预测水库蓄水后的变化。

3 查明影响坝址比选的主要工程地质问题，为选定坝址进行地质论证。

4 查明选定坝址建筑物区的工程地质条件并进行评价，为选定坝型和各建筑物的轴线及地基、边坡与洞室围岩处理方案设计提供地质资料和建议。

5 查明导流工程及缆机平台等主要临时和辅助建筑物和施工场地的工程地质条件。

6 进行天然建筑材料详查。

7 进行地下水动态观测和岩土体位移监测。

8 进行水库影响区的分析预测，界定水库影响区范围。

9 查明水库移民集中安置点和专项复建工程的地质条件，评价规划场地的稳定性和工程建设适宜性。

10 进行地质灾害调查和评价。

6.2 水　　库

6.2.1 水库勘察应包括下列内容：

1 查明水库区的水文地质条件，对水库渗漏问题进行评价。

2 查明不稳定库岸和潜在不稳定库岸的工程地质条件并进行评价，界定影响区范围。

3 查明覆盖层库岸的工程地质条件，对其塌岸影响范围进行预测，并界定影响区范围。

4 查明可能浸没地段的水文地质工程地质条件，并进行复判，界定浸没影响区范围。

5 查明泥石流发育情况，分析泥石流对工程等的影响程度，提出防治措施建议。

6 分析水库诱发地震的可能性，预测诱发地震位置、最大震级及其对工程和库区环境的影响。

7 对水库移民集中安置点和专项复建工程进行地质勘察与评价。

6.2.2 可能渗漏地段的勘察应包括下列内容：

1 可溶岩区应查明下列内容：

1）相对隔水层的分布、厚度和延续性，地下水流动系统及泉域，地下水位及其动态，岩溶发育特征和岩溶渗漏的性质；

2）主要漏水地段或主要通道的位置、形态和规模，估算渗漏量，提出防渗处理范围和深度的建议。

2 非可溶岩区应查明可能发生渗漏地段的地质结构及水文地质条件，并应根据问题的性质进行相应的勘察工作。

6.2.3 可能渗漏地段的勘察方法应符合下列规定：

1 工程地质测绘比例尺可选用1∶10000～1∶2000。

2 工程地质测绘范围应包括可能渗漏通道及其进出口地段和低邻谷，凡能追索的岩溶洞穴均应进行测绘。

3 宜采用综合物探方法探测岩溶的空间分布和强透水带的位置。

4 勘探剖面应根据水文地质结构和地下水分布情况,并结合可能的防渗处理方案布置。在多层含水层结构区,各可能渗漏岩组内不应少于 2 个钻孔。钻孔应深入隔水层、相对隔水层或枯水期水位以下一定深度;岩溶区钻孔深度应穿过岩溶强烈发育带,钻进过程中应观测地下水位。平洞主要用于查明地下水位以上的岩溶洞穴和通道。

5 应进行地下水动态观测,并初步形成长期观测网,各可能渗漏岩组内不应少于 2 个观测孔。观测基本内容除常规项目外,还应观测降雨前后的洞穴涌水和流量变化情况。

6 岩溶区应进行连通试验,查明岩溶洞穴间的连通情况和地下水的实际流速。需要了解大面积的连通情况时,可采用堵洞法测量其周围地下水位变化。

7 当研究岩溶水的年龄和来源时,宜进行地下水同位素分析,取水样时要求含水层隔离良好、取样可靠,并应复测。

8 在岩溶发育复杂地区,可对地下水的渗流场、水化学场、水温度场及水同位素场进行勘察研究。

6.2.4 不稳定岸坡和潜在不稳定岸坡的勘察应包括下列内容:

1 查明库区特别是近坝库区、城镇地段的滑坡、堆积体和潜在不稳定岸坡以及库区巨型滑坡等的分布范围、体积、地质结构、边界条件和地下水动态。

2 分析不稳定和潜在不稳定岸坡在天然状态下的稳定性,预测施工期和水库运行期不稳定和潜在不稳定岸坡失稳的可能性,并应对水工建筑物、城镇、居民点、耕园地、主要交通线路及专项设施等的可能影响做出评价,界定影响区的范围。

3 应预测蓄水后边坡稳定性的变化趋势。

4 提出防治措施和长期监测方案的建议。

6.2.5 不稳定和潜在不稳定岸坡的勘察方法应符合下列规定:

1 工程地质测绘比例尺可选用 1:5000～1:1000。

2 工程地质测绘范围应包括不稳定或潜在不稳定岸坡及其影响区。

3 应在前阶段勘探工作的基础上补充钻孔、平洞或竖井。

4 对水工建筑物、城镇、居民点、耕园地、主要交通线及专项设施等的安全有影响的不稳定或潜在不稳定岩土体的控制性结构面或滑坡滑带土应进行室内黏土矿物分析和物理力学性质试验，试验组数累计不应少于 6 组。应根据需要进行滑带土的现场抗剪试验、地质力学模型和涌浪试验等。

5 应根据需要,对不稳定和潜在不稳定岩土体逐步建立和完善变形监测网,监测网应由观测剖面线和观测点组成。钻孔倾斜计宜平行滑动方向布置,视准线宜垂直滑动方向布置。

6 应进行地下水动态观测,并应逐步建立和完善地下水动态观测网。

6.2.6 覆盖层塌岸区勘察应包括下列内容：

1 查明土的分层、级配和物理力学性质,确定岸坡的天然稳定坡角、浪击带稳定坡角和土的水下浅滩坡角。

2 预测不同库水位的塌岸影响程度,界定塌岸影响范围,并提出长期观测的建议。预测时应考虑水库的运行方式、风向和塌岸物质中粗颗粒的含量及其在坡脚再沉积的影响。预测计算中,各段的稳定坡角应根据试验成果,结合调查资料选用。

3 查明防护工程区的工程地质条件。

6.2.7 覆盖层塌岸区的勘察方法应符合下列规定：

1 工程地质测绘比例尺,城镇地区可选用 1:2000～1:1000,农村地区可选用 1:10000～1:2000。

2 工程地质测绘范围可根据需要确定。

3 勘探剖面线应实测,坑孔的布置原则和要求应符合本规范第 5.3.7 条第 4 款的规定,剖面线间距农村地区为 500m～5000m,城镇地区为 100m～1000m。

4 各土层应进行物理力学性质试验,其中颗粒分析、自然休止角和水下休止角试验组数累计不应少于 6 组。

6.2.8 浸没区勘察应包括下列内容:

1 查明土的层次、厚度、物理性质、渗透系数、地下水位及其动态,相对隔水层或基岩的埋深、土的毛细管水上升带高度、给水度、土壤含盐量、产生浸没的地下水临界深度,并根据水库运行水位和地下水位壅高预测浸没影响范围。

2 岩溶区应查明库周洼地、槽谷的分布、形态、充填土层的厚度、性状、下伏岩溶发育状况及与库水的连通情况、地表汇水与消水条件、地下水位及变幅等,预测、界定浸没或内涝的影响范围。

3 查明防护地段的水文地质工程地质条件,当防护区的地面高程低于水库蓄水位时,应对防护工程地基的渗漏、渗透稳定性和防护区内涝及浸没问题进行研究,提出处理措施建议。

6.2.9 浸没区的勘察方法应符合下列规定:

1 工程地质测绘比例尺,城镇地区可选用 1:2000~1:1000,农村地区可选用 1:10000~1:2000。

2 工程地质测绘范围应包括可能浸没区所在阶地的后缘或可能内涝的影响范围。

3 勘探剖面线应实测,并应垂直库岸或平行地下水流向布置;农村地区剖面线间距为 500m~3000m,城镇地区为 100m~500m;剖面线上的钻孔深度应符合本规范第 5.3.7 条第 4 款的规定。预测浸没区所在的地貌单元不应少于 2 个控制钻孔,第一个控制孔应靠近水库设计正常蓄水位的边线布置;防护工程勘探剖面上的钻孔间距宜加密。

4 勘探剖面之间可采用物探方法了解地下水位、相对隔水层或基岩埋深的变化情况。

5 水库蓄水后地下水壅高值可根据设计回水位采用地下水动力学方法计算。

6 应通过室内试验和野外试验测定土的渗透系数、饱和度、毛细管水上升带高度、土壤含盐量和地下水化学成分等。每一浸没区主要土层的物理性质和化学成分试验组数累计不应少于6组。

7 防护工程地段应进行土的物理力学性质试验和水文地质试验,主要土层的试验组数累计不应少于6组。

8 浸没区可根据需要建立长期观测网。观测内容包括地下水位、水化学成分、土壤含盐量等。

6.2.10 泥石流勘察应包括下列内容:

1 收集当地水文、气象资料,包括年降雨量及其分配、暴雨时间和强度、一次最大降雨量等。

2 泥石流沟汇水面积,流域内岩性、构造、物理地质现象、新构造活动迹象与地震情况。

3 泥石流形成区、流通区、堆积区的范围、平剖面形态,沟坡的稳定性,形成泥石流的固体物质来源、物质组成、颗粒级配及其启动条件,调查不稳定及潜在不稳定物源量。

4 泥石流沟口堆积区堆积物的分布形态、堆积形式、厚度、分层结构、分选特征及颗粒级配等。

5 调查访问历史泥石流活动情况、类型、冲淤、危害性及防治情况。

6 宜提出泥石流重度、流速、流量、一次性堆积总量等特征指标,进行泥石流分类。泥石流的分类应符合本规范附录 M 的规定。

7 分析评价泥石流对水工建筑物及施工场地和营地、水库淤积、规划移民区的影响和危害程度,并提出综合治理措施的建议。

6.2.11 泥石流的勘察方法应符合下列规定:

1 用卫片、航片资料解译泥石流的分布和形成条件,资料解译草图应进行野外检验和核实。

2 在卫片、航片资料解译的基础上,进行工程地质测绘,比例尺可选用 1:50000～1:10000。

3 根据需要可布置物探、坑探和钻探。为查明泥石流堆积厚度的钻孔,进入基岩的深度应超过沟内最大块石直径 3m～5m。

4 应取泥石流堆积物的代表性样品进行颗粒级配和泥石流流体物理力学性质试验。

6.2.12 水库诱发地震预测应包括下列内容:

1 当预可行性研究阶段勘察认为有可能发生水库诱发地震时,应分析库区的地震地质条件,包括深大断裂、活动断层和发震断层及历史地震的情况,库盆的岩性、岩体结构和水文地质结构,断层破碎带的导水性及其与库水的水力联系,岩体风化、卸荷及岩溶发育情况等。

2 宜预测发生水库诱发地震的类型、可能发震库段及其最大震级。

3 分析评价水库诱发地震对枢纽建筑物及库区环境的可能影响,提出进行水库诱发地震监测的建议。

6.2.13 水库诱发地震的预测方法应符合下列规定:

1 库区地震地质调查和区域构造稳定性研究,其方法应符合本规范第 5.2.1 条和第 5.2.2 条的规定。

2 当预测有水库诱发地震发生时,应进行水库诱发地震监测台网的总体方案设计。

6.2.14 水库移民集中安置点和专项复建工程勘察应包括下列内容:

1 查明场地的地形地貌、地层岩性、地质构造、水文地质条件。

2 查明影响场地稳定的崩塌、滑坡、变形体、潜在不稳定岩土体、泥石流、岩溶塌陷等不良物理地质现象,评价场地的稳定性和工程建设适宜性。

3 初步查明规划场地建筑物布置地段地基各岩土层的物理力学性质,提出基础持力层的建议。

4 专项复建工程勘察内容尚应根据工程类型按相关行业的规定执行。

6.2.15 水库移民集中安置点的勘察方法应符合相关行业规范和现行行业标准《城乡规划工程地质勘察规范》CJJ 57 的有关规定。

6.2.16 专项复建工程的勘察方法,应根据工程类型按相关行业标准执行。

6.3 土 石 坝

6.3.1 土石坝坝址勘察应包括下列内容:

　　1 查明坝基基岩面起伏变化情况,重点查明河床深槽、古河道、埋藏谷的具体范围、深度及形态。

　　2 查明坝基河床及两岸覆盖层的厚度、层次,重点查明软土层、粉细砂、湿陷性黄土、架空层、矿洞、漂孤石层等的分布情况。

　　3 查明影响坝基、坝肩稳定的断层、破碎带、软弱岩体、石膏夹层、夹泥层的分布、规模、产状、性状和渗透变形特性。

　　4 查明坝基水文地质结构,地下水埋深,含水层或透水层和相对隔水层的岩性、厚度变化和空间分布,岩土渗透性,重点查明可能导致强烈漏水和坝基、坝肩渗透变形的集中渗漏带的具体位置,提出坝基防渗处理的建议。

　　5 查明地下水、地表水对混凝土的腐蚀性。

　　6 查明岸坡岩体风化带、卸荷带的分布、深度和工程边坡、自然边坡特别是面板坝趾板上游边坡的稳定条件,重点查明防渗体地基,包括心墙、斜墙、面板趾板及反滤层、垫层、过渡层地基和岸坡连接地段有无断层破碎带、软弱岩带、全强风化岩及其变形和渗透特性。

　　7 查明坝区岩溶发育规律,主要岩溶洞穴和通道的分布与规模,岩溶泉的位置和补给、径流、排泄特征,相对隔水层的埋藏条件,提出防渗处理建议。

　　8 提出坝基岩土体的渗透系数、允许渗透水力比降和承载力、变形模量、强度等各种物理力学性质参数,对地基的沉陷、湿陷、抗滑稳定、渗漏、渗透变形、液化、震陷等问题做出评价,并提出坝基处理的建议。

6.3.2 岩土渗透性分级应符合本规范附录 N 的规定;土的渗透变形判别应符合本规范附录 P 的规定;土的地震液化判别应符合本规范附录 Q 的规定。

6.3.3 土石坝坝址的勘察方法应符合下列规定:

  1 工程地质测绘应符合下列规定:

    1)测绘比例尺可选用 1:5000～1:1000。

    2)测绘范围应包括坝址水工建筑物场地和对工程有影响的地段。

  2 物探应符合下列规定:

    1)可采用综合测井探测覆盖层层次,测定土层的密度。

    2)可采用单孔法、跨孔法测定岩土体弹性波纵波、横波波速,确定动弹性模量、动剪切模量等参数。

    3)其他应符合本规范第 5.4.2 条第 3 款的规定。

  3 勘探应符合下列规定:

    1)勘探剖面应结合坝轴线、心墙、斜墙或趾板防渗线、排水减压井、消能建筑物等布置。

    2)勘探点间距宜采用 50m～100m。

    3)基岩地基钻孔深度宜为坝高的 1/3～1/2,防渗线上河床的控制性钻孔深度不应小于坝高,两岸钻孔应深入地下水位以下或相对隔水层。

    4)覆盖层地基钻孔深度,当下伏基岩埋深小于坝高时,钻孔深度宜进入基岩面以下 10m～20m,防渗线上钻孔深度可根据需要确定;当下伏基岩埋深大于坝高时,钻孔深度宜根据透水层与相对隔水层分布及下伏岩土层的力学强度等具体情况确定。

    5)专门性钻孔的孔距和孔深应根据具体需要确定。

    6)应布置平洞、钻孔或探槽,查明两岸岩体风化带、卸荷带,以及对坝肩岩体稳定和绕坝渗漏有影响的断层破碎带、岩溶通道、废旧矿洞等。

    4 岩土试验应符合下列规定：

      1)覆盖层每一主要土层的物理力学性质试验组数累计不应少于 11 组。土层抗剪强度宜采用三轴试验，土层宜连续取原状样，粗粒土应进行动力触探试验，细粒土应进行标准贯入或静力触探试验。

      2)根据需要进行可能液化土的室内三轴振动试验、现场渗透变形试验和载荷试验等专门性试验。

      3)岩石物理力学性质试验可按混凝土重力坝的要求适当简化。

    5 水文地质试验应符合下列规定：

      1)根据覆盖层的成层特性和水文地质结构进行单孔或多孔抽水试验，坝基主要透水层的抽水试验不应少于 3 段（组）。

      2)强透水的大断层破碎带和岩溶发育地段应做专门的水文地质试验。

      3)防渗线上的基岩孔段应做压水试验，其他部位可根据需要确定。

    6 不稳定或潜在不稳定岩土体位移监测和地下水动态观测的要求应符合本规范第 6.2.5 条第 5 款和第 6 款的规定。

6.4 混凝土重力坝

6.4.1 建在岩基上的混凝土重力坝坝址勘察应包括下列内容：

    1 查明覆盖层的分布、厚度、层次及其组成物质，河床深槽的分布范围和深度。

    2 查明地层岩性，查明易溶岩层、软弱岩层、软弱夹层、蚀变岩带等的分布、性状、延续性、物理力学参数以及与上、下岩层的接触情况。查明矿层采空区的分布、规模及充填情况等。

    3 查明坝基、坝肩岩体的完整性，断层特别是顺河断层和缓倾角断层的分布和特征,节理裂隙的产状、延伸长度、连通率及其组合关系;确定坝基、坝肩稳定分析的边界条件。

4 查明坝基、坝肩岩体风化带、卸荷带的厚度及其特征。

5 查明坝基、坝肩岩溶洞穴及通道的分布、规模、充填状况及连通性,岩溶泉的分布、流量及其补给、径流、排泄特征。

6 查明两岸岸坡及周边自然边坡的稳定条件。

7 查明坝址的水文地质条件,两岸地下水位埋深,岩体渗透特性,相对隔水层埋藏深度,提出防渗处理的建议。在水文地质条件复杂的地区,应分析建坝前后渗流场的变化,为防渗处理设计提供依据。

8 查明地表水和地下水对混凝土的腐蚀性。

9 查明泄流冲刷地段的工程地质条件,评价泄流冲刷及泄流雨雾对坝基及岸坡稳定的影响。

10 查明峡谷坝址的岩体地应力情况。

11 根据坝基岩层和构造情况,以及岩块间嵌合程度,进行坝基岩体结构分类。

12 在分析坝基岩石性质,地质构造,岩体结构,岩体地应力,风化、卸荷特征,岩体强度和变形性质等的基础上进行坝基岩体工程地质分类,提出各类岩体的物理力学性质参数建议值和大坝可利用建基岩体,并对坝基工程地质条件做出评价。

6.4.2 腐蚀性评价标准应符合本规范附录 K 的规定。岩体结构分类应符合本规范附录 R 的规定。坝基岩体工程地质分类应符合本规范附录 S 的规定,岩土体物理力学性质建议值应符合本规范附录 D 的规定。

6.4.3 在岩基上的混凝土重力坝坝址的勘察方法应符合下列规定:

1 工程地质测绘应符合下列规定:

　1)测绘比例尺可选用1:2000～1:1000;

　2)测绘范围应包括坝址水工建筑物场地和对工程有影响的

地段；

3）当岩性变化或存在软弱夹层时，应测绘详细的岩层柱状图。

2 物探应符合下列规定：

1）宜采用综合测井和钻孔全景图像等方法调查对坝基（肩）岩体稳定有影响的结构面、软弱带、低波速松弛岩带等的产状、分布，含水层和渗漏带的位置等；

2）可采用单孔法、跨孔法、跨洞法测定各类岩体弹性波纵波速度或横波速度，进行岩体动弹性模量或纵波波速的分区；

3）岩溶区可采用孔间或洞间测试以及层析成像技术等调查岩溶洞穴的分布。

3 勘探应符合下列规定：

1）勘探剖面应根据具体地形地质条件结合建筑物特点布置，选定的坝线应布置坝轴线勘探剖面和上下游辅助勘探剖面，剖面线的间距根据坝高和地质条件，可采用 $50m \sim 200m$；溢流坝段、非溢流坝段、厂房坝段、通航坝段等均应有代表性勘探纵剖面。

2）坝轴线勘探剖面线上的勘探点间距可采用 $20m \sim 50m$，其他勘探剖面线上的勘探点间距可视具体需要确定。

3）钻孔深度应进入拟定建基面高程以下 $1/3 \sim 1/2$ 坝高的深度，帷幕线上的钻孔深度可采用 1 倍坝高或进入相对隔水层不应小于 $10m$。

4）专门性钻孔的孔距、孔深可根据具体需要确定。当需要查明河床坝基顺河断层、缓倾角软弱结构面时可布置倾斜钻孔。

5）平洞、竖井、大口径钻孔和河底平洞应结合建筑物位置、两岸地形、地质条件和岩体现场测试工作的需要布置。高陡岸坡宜布置平洞；地形、地层平缓时宜布置竖井或大口径钻孔;当存在影响坝基稳定的断层、破碎带和软弱夹层,用常规勘探手段难以查清时,可布置河底平洞。

　6)当钻孔或平洞遇到溶洞或大量漏水时,应继续追索或采用其他手段查明。

4　岩土试验应符合下列规定:

　1)主要岩石的室内物理力学性质试验组数累计不应少于11组;影响坝基变形的岩类,其现场变形试验不应少于6点;控制抗滑稳定的岩层或滑动面的现场抗剪断和抗剪试验组数不应少于6组。

　2)根据需要进行岩体地应力测试和现场载荷等专门试验。

5　水文地质试验应符合下列规定:

　1)坝基、坝肩及帷幕线上的基岩钻孔应进行压水试验,其他部位的钻孔可根据需要确定。坝高大于200m时,宜进行大于设计水头的高压压水试验及为查明岩体渗透性各向异性的专门试验,高压压水试验的最高压力不宜小于建筑物工作水头的1.2倍。

　2)为查明岩溶区坝基集中渗漏带的渗流特征、实际流速和连通情况,可根据需要进行地下水连通等专门试验。

　3)强透水的大断层破碎带应做专门的渗透及渗透变形试验。

　4)在水文地质条件复杂的坝址区,宜进行渗流场数值模拟等专题研究。

　5)应取样进行地下水和地表水水质分析。

6　地下水动态观测应符合下列规定:

　1)观测内容宜包括水位、水温、水化学、流量或涌水量等;

　2)观测时间应延续一个水文年以上,并逐步完善观测网。

7　不稳定或潜在不稳定岩土体位移监测的布置原则和要求应符合本规范第6.2.5条第5款的规定。

6.4.4　建在覆盖层上的混凝土重力坝(闸)址的勘察内容除应符

合本规范第 6.3.1 条规定外,还应查明下列内容:

    1 查明坝(闸)基覆盖层分布、厚度、层次结构及其物质组成,查明膨胀土、黏性土、淤泥类土和粉细砂土等的埋深、厚度、分布和性状,研究其产生变形、不均匀沉陷、液化和坝基抗滑稳定的可能性。

    2 查明覆盖层各层次的渗透特性、相对隔水层分布,评价其渗漏和渗透稳定性,为防渗处理提出建议。

    3 查明河床两岸覆盖层的成因类型、层次结构、分布规律、渗透特性等,评价产生绕坝渗漏的可能性并提出处理措施建议。

    4 查明下游消能防冲区的覆盖层分层、厚度变化及其性状,为消力池及防冲设计提供地质资料。

6.4.5 建在覆盖层上的混凝土坝(闸)址的勘察方法除应符合土石坝坝址的有关规定外,还应符合下列规定:

    1 坝(闸)基的钻孔应结合闸墩和防渗、防冲建筑物布置,钻孔深度宜根据覆盖层厚度及建基面高程确定;当覆盖层厚度小于闸底宽时,钻孔深度应进入基岩 5m～10m;当覆盖层厚度大于闸底宽时,钻孔深度宜为闸底宽的 1 倍～2 倍,并应进入下伏承载力较高的土层或相对隔水层;控制性钻孔应进入基岩 10m～30m。

    2 岩土试验和水文地质试验应符合下列规定:

      1)坝(闸)基持力层范围内每一土层均应取原状样,并进行室内物理力学性质试验,试验组数累计不应少于 11 组。

      2)细粒土及粉土、粉细砂层应结合钻探进行标准贯入或静力触探试验,粗粒土层应进行动力触探试验,软土层宜进行十字板抗剪试验。

      3)应根据需要进行现场载荷试验、旁压试验、现场抗剪试验、现场渗透与渗透变形试验,以及室内原状土的渗透与渗透变形试验、大三轴剪切试验和可能液化土的三轴振动试验等专门性试验。

      4)应根据覆盖层的成层特性和水文地质结构进行单孔或多

孔抽水试验,分层或综合抽水试验,钻孔振荡式渗透试验,坝基主要透水层的抽水试验不应少于3段(组)。

3 地下水动态观测和不稳定或潜在不稳定岩土体位移监测的要求应符合本规范第6.4.3条第6款和第6.2.5条第5款的规定。

6.5 混凝土拱坝

6.5.1 混凝土拱坝坝址的勘察内容除应符合本规范第6.4.1条规定外,还应包括下列内容:

1 查明河谷形态、宽高比、两岸地形完整程度。

2 查明拱肩受力岩体内垂直或近于垂直拱推力方向的断层、挤压破碎带、节理密集带、蚀变岩带、软弱岩带及岩溶溶洞等的分布和性状,评价坝基(肩)岩体的抗变形性能,提出河床可利用岩体的高程、两岸拱座嵌深及坝基处理建议。

3 查明两岸拱座及抗力岩体内的潜在底滑面、侧滑(裂)面及其连通率,特别是缓倾角结构面与中、陡倾角断层,长大裂隙,蚀变岩脉等软弱结构面组合滑移块体的分布和性状,评价坝肩岩体的抗滑稳定条件,提出坝肩处理建议。

4 查明两岸边坡包括坝顶以上一定范围自然边坡的地貌形态、地层岩性、地质构造、风化、卸荷、水文地质条件以及边坡的变形和破坏现象,并对其稳定性做出评价,提出工程边坡开挖坡形、坡比和加固措施的建议,同时对周边自然边坡提出防护或加固处理建议。

5 查明水垫塘及二道坝的工程地质条件,评价水垫塘及泄洪雨雾对坝基、两岸边坡及下游岸坡稳定性的影响,提出处理建议。

6 查明坝址区岩体地应力量级、方向和空间分布规律,评价高应力状态对岩体力学特性的影响。

6.5.2 混凝土拱坝坝址的勘察方法除应符合本规范第6.4.3条的规定外,还应符合下列规定:

1 工程地质测绘应符合下列规定：

    1）平面地质测绘比例尺可选用 1:2000～1:1000，高拱坝坝址可选用 1:500；

    2）对坝基（肩）岩体稳定有影响的特定软弱结构面，特别是顺河断层、缓倾角断层及成组的节理裂隙等，应详细调查测绘其分布的位置、规模、产状、性状和可能的组合形式及连通率。

2 勘探应符合下列规定：

    1）高拱坝两岸坝肩应采用以洞探为主、钻探为辅的方法，坝肩每隔 30m～50m 高差应布置一层平洞。坝高 150m 以上的高拱坝坝址平洞深度不宜小于 200m。

    2）抗力体部位应布置专门勘探工程。

3 岩土试验应符合下列规定：

    1）坝基各类岩体及影响坝基（肩）变形的软弱结构面均应布置现场变形试验，累计试验组数不应少于 6 组，高拱坝主要持力岩类累计试验组数不应少于 11 组，并应在试验点上采用风钻孔测定试点岩体的弹性波波速，建立波速与变形模量的相关关系；

    2）现场抗剪断和抗剪试验累计试验组数不应少于 6 组，高拱坝主要持力岩类和控制坝肩（基）岩体抗滑稳定结构面的累计试验组数不应少于 11 组；

    3）对影响坝肩变形和稳定的主要软弱岩体（带）宜进行流变试验；

    4）高拱坝坝址宜在不同高程、不同深度进行岩体地应力测试；

    5）根据需要，配合设计开展高拱坝整体地质力学模型试验。

4 深切峡谷坝址宜开展两岸山坡的变形监测。两岸山坡变形监测和不稳定或潜在不稳定岩土体位移监测应符合本规范第 6.2.5 条第 5 款的规定。

6.6 隧 洞

6.6.1 隧洞勘察应包括下列内容：

1 查明隧洞沿线的地形地貌、物理地质现象。

2 查明隧洞沿线的地层岩性，重点查明松散、软弱、膨胀、易溶和岩溶化岩层的分布。还应探测岩层中有害气体和放射性物质赋存情况。

3 查明隧洞沿线岩层的产状、褶皱（褶曲）、主要断层破碎带的分布位置、产状、规模、性状及其组合关系。当洞线穿越活动断层时，应做专门研究。

4 查明隧洞沿线的地下水位（水压）、水温和水化学成分，特别要查明涌水量丰富的含水层、汇水构造、强透水带以及与地表溪沟连通的断层破碎带、节理密集带和岩溶通道，预测掘进时突水、突泥的可能性，估算最大涌水量和稳定涌水量。

5 可溶岩区应查明隧洞沿线岩溶发育规律，主要洞穴的发育高程、层位、规模、充填情况和富水性。

6 查明傍山浅埋洞段、过沟段上覆及傍山侧覆盖层和岩体的厚度，岩体风化、卸荷深度和岩体的完整性。

7 查明隧洞进出口边坡的稳定条件。

8 分析深埋隧洞的岩体地应力情况，预测岩爆及岩体在高应力条件下的发生破坏的可能性、强度和位置以及较软岩塑性变形的可能性，分析深埋隧洞地温情况，预测高地温出现的可能性；岩体地应力和岩爆及高地应力条件下岩体破坏的判别应符合本规范附录 T 的规定。

注：深埋隧洞指埋藏深度大于 300m 的地下洞室。

9 进行隧洞围岩工程地质分类，确定各类围岩的物理力学性质参数，提出围岩支护及排水等处理措施建议。围岩分类应符合本规范附录 L 的规定。

6.6.2 隧洞的勘察方法应符合下列规定：

1 工程地质测绘应符合下列规定：

    1) 长引水线路区，工程地质测绘比例尺可选用1:25000～1:5000；

    2) 隧洞进出口、傍山浅埋段、过沟段等，当地质条件复杂时应进行专门性工程地质测绘，比例尺可选用1:2000～1:1000；

    3) 根据需要，局部地段可进行比例尺1:500的工程地质测绘。

2 物探除应符合本规范第5.5.3条第3款的规定外，根据需要，还应符合下列规定：

    1) 应利用孔、洞开展有害气体和放射性成分含量测试；

    2) 应利用勘探孔、洞测试地温。

3 勘探应符合下列规定：

    1) 隧洞进出口及各建筑物地段、长引水隧洞的过沟段以及其他有重大地质问题地段应布置勘探剖面；

    2) 勘探剖面线上的钻孔深度及水文地质试验等应符合本规范第5.5.3条第4款的规定；

    3) 隧洞进出口地段应布置平洞；

    4) 深埋隧洞可根据具体条件布置钻孔和平洞。

4 岩石试验应以室内试验和简易现场测试为主，各类岩石室内物理力学性质试验累计不应少于6组；深埋隧洞应视需要进行岩体地应力测试。

5 隧洞沿线的钻孔应进行地下水动态观测，观测时间不得少于一个水文年。

6 对建筑物安全有影响的不稳定或潜在不稳定岩土体应布置位移监测，其要求应符合本规范第6.2.5条第5款的规定。

6.7 渠　道

6.7.1 渠道勘察应包括下列内容：

1 查明渠道沿线和建筑物场地的地层岩性、地质构造,基岩和覆盖层的分布,重点查明强透水、易崩解、易溶的岩土层、湿陷性黄土、膨胀土、软土、粉细砂和岩溶的分布及其对渗漏、渗透稳定和地震液化的影响。

2 傍山渠道沿线应查明冲洪积扇、滑坡、崩塌、变形体、泥石流、采空区和其他不稳定或潜在不稳定岸坡的类型、范围、规模和稳定条件。

3 查明渠道沿线岩土体的透水性、地下水埋深,对渠道的渗漏和渗透稳定做出评价。

4 查明高填方与半挖半填渠段地基和边坡岩土体的性质及其稳定条件。

5 应进行渠道工程地质分段,提出各分段岩土体的物理力学性质参数、工程边坡开挖坡比和支护措施及自然边坡的防护处理建议。

6.7.2 渠道的勘察方法应符合下列规定:

1 工程地质测绘比例尺可选用 1∶10000～1∶1000,渠道建筑物场地和填方渠段的工程地质测绘比例尺可选用 1∶2000～1∶1000。

2 沿渠道中心线及各工程地质分段均应布置代表性勘探剖面。

3 勘探剖面线上的坑、孔等的间距与深度可根据需要确定。

4 应进行岩土试验,影响渠道稳定的岩土层的试验组数累计不应少于 6 组。

6.8 地下厂房系统

6.8.1 地下厂房系统勘察应包括下列内容:

1 查明厂址区的地形地貌条件、岩体风化、卸荷、滑坡、崩塌、变形体及泥石流等不良物理地质现象。

2 查明厂址区地层岩性,特别是松散、软弱、膨胀、易溶和岩溶化岩层的分布。

3 探测岩层中有害气体和放射性物质的赋存情况,提出防范措施的建议。

4 查明厂址区岩层的产状,蚀变岩带、断层破碎带和节理密集带的位置、产状、规模、性状及其组合关系。

5 查明厂址区的水文地质条件,特别要查明涌水量大的含水层、强透水带以及与地表连通的断层破碎带、节理密集带和岩溶通道,预测掘进时发生突水、突泥的可能性,估算最大涌水量和稳定涌水量。

6 可溶岩地区应查明岩溶的发育规律,主要岩溶洞穴的发育位置、规模、充填情况和富水性。

7 查明厂址区岩体及结构面的物理力学性质。

8 调查勘探平洞中发生的围岩岩爆、劈裂和钻孔岩芯饼裂等现象,进行现场地应力测试,分析岩体地应力状态,研究地应力对围岩稳定的影响,预测发生岩爆的可能性和强度,提出处理措施建议。

9 根据厂址区的工程地质条件,提出地下厂房位置和轴线方向的建议。

10 进行围岩工程地质详细分类,提出各类围岩的物理力学参数建议值,评价围岩的整体稳定性,提出支护设计建议。

11 围岩分类应符合本规范附录 L 的规定。

12 大跨度地下洞室还应查明主要软弱结构面的分布和组合情况,并结合岩体地应力状态评价顶拱、边墙、端墙、岩锚梁和洞室交叉段围岩的局部稳定性,提出处理建议。

注:大跨度地下洞室指跨度大于 20m 的地下洞室。

13 查明调压井布置区的覆盖层分布,基岩岩性,地质构造,风化、卸荷深度以及不良物理地质现象,进行井壁及穹顶的围岩分类;当井口为开敞式布置时,还应查明井口以上边坡的地质条件,评价工程边坡和自然边坡的稳定性,提出处理措施建议。

14 查明压力管道及岔管布置区上覆岩体的厚度,风化、卸荷深度,岩体完整性和物理力学特性;高水头压力管道尚应调查上覆山体的稳定性、岩体结构特征、高压渗透特性和岩体地应力状态。

注:高水头压力管道指水头大于100m的地下压力管道。

15 查明气垫式调压室布置地段上覆岩体厚度、岩性、风化卸荷深度、构造发育情况、岩体完整性、围岩类别及物理力学特性、岩体地应力状态和高压渗透特性,评价山体抗抬稳定性、围岩抗劈裂稳定性、围岩抗渗稳定性及其闭气性。

16 提出外水压力建议值。当采用全水头经验折减法确定外水压力值时,折减系数的取值应符合本规范附录U的规定。

6.8.2 地下厂房系统的勘察方法应符合下列规定:

1 工程地质测绘应符合下列规定:

1)工程地质测绘比例尺可选用1:2000～1:1000;

2)根据地质条件与需要,局部地段比例尺可选用1:5000。

2 物探应符合本规范第5.6.3条第3款的规定。

3 勘探应符合下列规定:

1)各建筑物地段均应布置勘探剖面;

2)根据地质复杂程度和地下厂房的规模在平洞内布置不同方向的钻孔,其中垂直向下的钻孔深度应进入设计洞底高程以下10m～30m,但不应小于厂房跨度;

3)大型地下洞室群宜在拟建洞室的纵横方向布置平洞。平洞深度宜穿过拟建洞室后1倍边墙高度的距离。平洞内可布置钻孔或竖井。高压管道及其岔管的勘探深度应以埋置最深、水头最大的岔管为控制;需要时,平洞应延伸到气垫式调压室可能布置的地段。

4 岩土试验应符合下列规定:

1)各类岩土室内物理力学试验组数累计不应少于6组;

2)大跨度深埋地下洞室、高压管道岔管段和气垫调压室应进行岩体现场变形试验、抗剪断及抗剪试验、岩体地应力测试;结构面现场抗剪断及抗剪试验;当存在软岩时,宜进行流变试验。

5 水文地质试验应符合下列规定:

  1)基岩钻孔应进行压水试验;

  2)高压管道及气垫式调压室布置地段宜进行高压压水试验,试验压力不应小于内水水头或气垫压力的 1.2 倍;

  3)视需要可进行地下水连通试验、渗流场数值模拟。

6 地下厂址区钻孔应进行地下水动态观测,观测时间不得少于一个水文年。

7 可利用勘探平洞进行地下厂房围岩的位移监测。

6.9 地面厂房系统

6.9.1 地面厂房系统勘察应包括下列内容:

1 查明压力前池或调压井(塔)、压力明管、厂房、尾水渠和地面开关站布置地段的地层岩性,重点查明软弱夹层、石膏、粉细砂、架空层、膨胀土、红黏土、软土、冻土和湿陷性黄土等的分布和物理力学性质。

2 查明厂址区的地质构造和岩体结构,主要建筑物布置地段的断层破碎带和节理裂隙发育规律及其组合关系。

3 查明厂址区滑坡、崩塌堆积物、变形体、潜在不稳定体、泥石流等物理地质现象。

4 查明厂址区的水文地质条件和岩土体的透水性。

5 查明工程边坡、自然边坡特别是厂房后坡的坡体结构及其稳定条件。

6 评价建筑物地基和边坡的稳定性及压力前池的渗漏和渗透稳定性。

6.9.2 地面厂房系统的勘察方法应符合下列规定:

1 工程地质测绘比例尺可选用1:2000~1:1000。

2 工程地质测绘范围应包括自压力前池或调压塔至尾水渠、

地面开关站等所有建筑物地段。

3 勘探剖面线应结合建筑物轴线布置,对地面厂房系统各建筑物安全有影响的边坡应布置勘探平洞。

4 当厂房、压力前池和压力明管镇墩及支墩地基为基岩时,钻孔深度宜进入建基面以下 10m～15m;当地基为覆盖层时,钻孔深度应根据持力层的情况确定。压力前池钻孔深度宜为 1 倍～2 倍水深,黄土地区宜为 2 倍～3 倍水深。

5 岩土物理力学性质试验应按地面厂房系统工程地质分段进行;主要岩土的室内物理力学性质试验组数累计不得少于 6 组;当主要持力层为覆盖层时,除采取原状样进行室内物理力学性质试验外,尚应进行现场标准贯入或动力触探测试,并可采用物探方法测定土体动力参数;根据需要进行现场载荷试验。

6 压力前池和厂房地段的钻孔应进行压水或抽水试验。

7 厂址区的钻孔应进行地下水动态观测,观测时间不应少于一个水文年。对厂房系统建筑物安全有影响的不稳定或潜在不稳定岩土体应进行位移监测,其要求应符合本规范第 6.2.5 条第 5 款的规定。

6.10 溢 洪 道

6.10.1 溢洪道勘察应包括下列内容:

1 查明溢洪道布置地段的地层岩性、断层、节理密集带、主要软弱夹层的分布和岩体风化、卸荷深度。

2 查明岩土体的透水性和地下水位。

3 查明溢洪道两侧,特别是内侧边坡的坡体结构及其稳定条件。

4 查明引渠、泄洪闸、泄槽段、挑流鼻坎等建筑物地基岩体的结构、完整程度及稳定条件。

5 查明下游消能冲刷区和泄洪雨雾区边坡的岩体结构及稳定条件。

6 进行溢洪道区的工程地质分段,提出各类岩土体的物理力学性质参数,评价引渠、泄洪闸、泄槽、消能建筑物地基、沿线边坡和下游消能冲刷区及防淘墙的稳定性,提出处理建议。

6.10.2 溢洪道的勘察方法应符合下列规定:

1 工程地质测绘比例尺可选用 1:2000～1:1000。

2 工程地质测绘范围应包括自引渠、泄洪闸至下游消能地段,以及论证下游冲刷区与雨雾区边坡稳定所涉及的地段。

3 勘探剖面线应结合引渠、泄洪闸、泄槽和消能建筑物等轴线布置纵剖面,不同工程地质分段应有代表性横剖面。高边坡、泄流冲刷区以及有复杂地质问题的地段,应布置勘探剖面。

4 溢洪道边坡勘察宜采取以平洞勘探为主、钻孔为辅的方法。

5 泄洪闸钻孔深度应符合本规范第 5.7.3 条第 2 款的规定,其他地段钻孔深度根据需要确定。

6 控制泄洪闸基、挑流鼻坎地基和边坡稳定的岩土体与软弱夹层的室内物理力学性质试验组数,累计不应少于 6 组。

7 泄洪闸基及两侧帷幕区的钻孔应进行压水或注水试验。

8 地下水动态观测应符合本规范第 6.4.3 条第 6 款的规定。

9 不稳定或潜在不稳定岩土体位移监测的要求应符合本规范第 6.2.5 条第 5 款的规定。

6.11 通航建筑物

6.11.1 通航建筑物的工程地质勘察应查明引航道、升船机、船闸上下闸首、闸室、上下游码头的地基、洞室和边坡的工程地质条件,查明断层、主要裂隙及其组合与地基、边坡和洞室的关系,提出岩土体的物理力学性质参数,评价地基、洞室和工程边坡及自然边坡的稳定性,提出处理措施建议。

6.11.2 通航建筑物的勘察方法应符合下列规定:

1 工程地质测绘比例尺可选用 1:2000～1:1000。

2 工程地质测绘范围应包括通航建筑物及对工程有影响的地段。

3 可采用综合物探方法探测覆盖层的厚度、岩土体的弹性波波速、岩溶的分布与规模。

4 勘探剖面应结合建筑物布置,基岩地基钻孔深度应进入闸底板以下 10m～30m,覆盖层地基钻孔深度宜结合建筑物规模确定。

5 对通航建筑物安全有影响的边坡应布置勘探剖面,平洞、钻孔深度可根据需要确定。

6 岩土物理力学性质试验应根据建筑物或工程地质分段进行,主要岩土层室内物理力学性质试验组数累计不应少于 6 组。土层应进行标准贯入试验或动力触探试验,并根据需要进行其他现场测试。

7 建筑物基坑的钻孔应进行抽水试验或压水试验。

8 建筑物区钻孔应进行地下水动态观测,其要求应符合本规范第 6.4.3 条第 6 款的规定。

9 对通航建筑物安全有影响的不稳定或潜在不稳定岩土体应进行位移监测,其要求应符合本规范第 6.2.5 条第 5 款的规定。

6.12 主要临时和辅助建筑物

6.12.1 围堰的勘察内容和方法应符合下列规定:

1 土石围堰勘察内容和方法宜符合本规范第 6.3.1 条～第 6.3.3 条的规定,并适当简化。

2 混凝土围堰勘察内容和方法宜符合本规范第 6.4.1 条～第 6.4.5 条的规定,并适当简化。

6.12.2 导流明渠的勘察内容和方法除应符合本规范第 6.7.1 条和第 6.7.2 条的规定外,尚应符合下列规定:

1 应查明外导墙地基覆盖层结构、厚度及性状,基岩岩性,岩体完整性、风化、卸荷深度,断层破碎带和节理密集带的位置、产状、规模、性状及其组合关系。还应查明覆盖层的渗透性和岩基中倾向基坑的中缓倾角结构面发育情况。应评价外导墙覆盖层地基的渗透稳定性和基岩地基的抗滑稳定性,提出处理建议。

2 应查明内侧边坡的坡体结构,评价沿线边坡的稳定性,提出处理建议。

3 应查明导流明渠出口边坡的抗冲刷稳定性。

6.12.3 导流隧洞的勘察内容和方法宜符合本规范第 6.6.1 条和第 6.6.2 条的规定,并适当简化。

6.12.4 缆机平台的勘察内容和方法应符合下列规定:

1 应查明缆机平台地基及边坡的覆盖层厚度、岩性、岩体结构和完整性,结构面的产状、性状、规模及其组合关系,边坡物理地质现象,评价地基及边坡的稳定性,提出地基和边坡处理的建议。

2 缆机平台地基及边坡的勘探应结合坝址区坝顶以上边坡稳定性的勘察进行,视具体地形地质条件,布置钻孔和平洞。

6.12.5 渣场的勘察内容和方法应符合下列规定:

1 应初步查明堆渣场的地形地貌、地层岩性、地质构造、物理地质现象,特别要调查沟谷泥石流发育情况,分析其对堆渣场安全的影响,初步评价渣场场地稳定性,提出处理建议。

2 渣场的勘察应结合水库区、坝址及下游区的勘察进行。

6.12.6 营地的勘察内容和方法应符合下列规定:

1 应初步查明营地的地形地貌、地层岩性、地质构造、水文地质条件等,特别要查明可能影响场地安全的不良物理地质现象,初步评价场地的稳定性和工程建设适宜性。

2 应初步查明拟建场地建筑物布置地段地基各岩土层的物理力学性质,提出基础持力层的建议。

3 营地的勘察方法可按现行行业标准《城乡规划工程地质勘察规范》CJJ 57 的有关规定执行。

6.13 天然建筑材料

6.13.1 天然建筑材料勘察应包括下列内容:

1 应在预可行性研究勘察基础上进行天然建筑材料详查。

2 需要时,应进行混凝土天然掺合料的详查。

3 对拟利用的开挖料储量、质量做出评价。

4 详查储量应达到设计需要量的 1.5 倍～2.0 倍。

5 查明料场开采边坡的稳定条件,评价开采边坡及自然边坡的稳定性,提出处理措施建议。

6 天然建筑材料的勘察应符合现行行业标准《水电水利工程天然建筑材料勘察规程》DL/T 5388 的要求。

6.14 勘 察 报 告

6.14.1 可行性研究阶段工程地质勘察报告正文应包括:概述,区域地质与构造稳定性,水库工程地质条件,坝址比较与选择,选定坝址坝型、坝线、枢纽布置方案比较,各建筑物工程地质条件,天然建筑材料,结论和建议等。

6.14.2 概述应包括下列内容:

1 工程概况。

2 勘察过程简介。

3 预可行性研究阶段提出的主要工程地质问题和结论。

4 预可行性研究报告审查的主要意见。

5 本阶段工程地质勘察完成的主要工作项目和工作量,专题研究项目。

6.14.3 区域地质与构造稳定性应包括下列内容:

1 区域地形地貌、地层岩性、地质构造、物理地质现象、水文地质条件等概况。

2 区域新构造运动及地震活动性特征概况。

3 近场区和场址区地质构造及主要断层的活动性分析。

4 场地地震安全性评价。

5 场地地震地质灾害评价。

6 区域构造稳定性评价。

6.14.4 水库工程地质条件应包括下列内容：

1 水库区基本地质条件。

2 水库渗漏评价。

3 库岸稳定性评价与覆盖层塌岸预测。

4 水库浸没预测。

5 库区泥石流的影响评价。

6 水库可能诱发地震的类型、发生的库段及最大震级预测。

7 水库移民集中安置点及专项复建工程地质勘察的主要结论意见。

6.14.5 坝址比较与选择应包括下列内容：

1 各坝址工程地质条件，相应坝型与枢纽布置方案的工程地质评价。

2 各坝址工程地质条件比较和坝址选择的地质意见。

6.14.6 选定坝址各建筑物的工程地质条件应包括下列内容：

1 坝址的工程地质条件，坝基岩体工程地质分类及物理力学性质参数，坝型、坝轴线和枢纽布置方案选择的工程地质评价意见，坝址工程地质问题评价和处理建议。

2 隧洞基本地质条件，工程地质条件分段说明，围岩工程地质分类，进出口边坡和洞室围岩稳定性的工程地质评价及处理建议。

3 渠道基本地质条件，工程地质条件分段说明，地基和边坡稳定性以及渗漏的工程地质评价及处理建议。

4 厂址区基本地质条件，地基或围岩工程地质分类，厂址区各建筑物地基、边坡和围岩稳定性的工程地质评价及处理建议。

5 泄水建筑物、通航建筑物等的工程地质条件。各建筑物地基、边坡和围岩稳定性的工程地质评价及处理建议，泄流冲刷区及雨雾区的边坡稳定性的工程地质评价和处理措施建议。

6 枢纽建筑物区自然边坡的基本地质条件、边坡结构、变形破坏类型等的分析评价和处理措施建议。

7 主要临时和辅助建筑物的工程地质条件及评价。施工渣场和营地工程地质条件评价的主要结论意见。

6.14.7 天然建筑材料应包括各类材料的设计需用量,各料场地形地质条件、勘探和取样情况、储量和质量评价,开采和运输条件,料场开采边坡稳定性评价及处理建议等。

6.14.8 结论和建议应包括区域构造稳定性,水库地质,坝址、坝型、坝线比较,选定坝址枢纽布置各建筑物工程地质评价,各类天然建筑材料储量、质量评价,以及对招标设计阶段勘察工作的建议。

6.14.9 报告正文的内容,除应符合本规范第 6.14.1 条～第 6.14.8 条规定外,尚应符合现行行业标准《水电工程可行性研究报告编制规程》DL/T 5020 的规定;报告的附图、附件应符合本规范附录 A 的规定。

7 招标设计阶段工程地质勘察

7.1 一 般 规 定

7.1.1 招标设计阶段工程地质勘察应在审查批准的可行性研究报告基础上进行。应复核可行性研究阶段的地质资料与结论,补充查明遗留的工程地质问题,为完善和优化设计以及编制招标设计文件提供地质资料。

7.1.2 招标设计阶段工程地质的勘察任务应包括下列内容:

1 复核可行性研究阶段的主要勘察成果。

2 补充查明可行性研究阶段遗留的工程地质问题。

3 论证可行性研究报告审批中提出的专门性工程地质问题。

4 提供与优化设计有关的工程地质资料。

5 复核或补充查明枢纽区临时和辅助建筑物的工程地质条件,做出评价。

6 复核或补充查明水库移民集中安置点与专项复建工程的工程地质条件。

7.2 工程地质复核

7.2.1 工程地质复核应包括下列主要工程地质勘察成果:

1 水库工程地质条件。

2 枢纽建筑物(主要包括挡水、泄水、输水、厂房、通航建筑物)工程地质条件。

3 主要临时和辅助建筑物工程地质条件。

4 天然建筑材料。

7.2.2 工程地质的复核方法应符合下列规定:

1 应分析研究可行性研究阶段工程地质勘察成果。

2 应对可行性研究阶段后的有关地震、岩土体位移、地下水动态等的观(监)测成果作进一步分析论证。

3 应根据具体情况补充工程地质测绘、勘探与试验工作。

7.3 专门性工程地质问题勘察

7.3.1 专门性工程地质问题勘察应包括下列内容：

1 可行性研究阶段遗留的工程地质问题。

2 可行性研究报告审批提出的专门性工程地质问题。

3 可行性研究阶段完成后新发现的重大工程地质问题。

4 优化、变更设计需进一步查明的工程地质问题。

7.3.2 当预测可能发生水库诱发地震时，其勘察应包括下列内容：

1 复核水库诱发地震库段位置和震级。

2 提出建立或完善地震监测台、网的建议。

7.3.3 对水库区存在的有关工程地质问题，应根据具体情况确定勘察内容，并应符合下列规定：

1 水库渗漏，应复核或补充查明渗漏范围、深度、形式与途径，提出优化处理的建议，完善水库渗漏观测的意见。

2 库岸稳定，应复核或补充查明岸坡失稳的边界条件以及潜在滑动面的物理力学参数、失稳机制、方式和规模。评价失稳的可能性及危害性，并提出优化处理措施，完善岩土体位移监测意见。

3 水库浸没、塌岸、泥石流，应复核或补充查明其发展趋势、范围、危害程度，并提出优化处理措施与完善地下水动态观测的意见。

7.3.4 水库移民集中安置点与专项复建工程勘察内容应符合下列规定：

1 应对水库移民集中安置点与专项复建工程的工程地质条件进行复核，并根据移民安置规划实施和设计变更情况，开展补充勘察工作。

2 复核或补充勘察工作的内容和方法应符合本规范第 6.2.14 条和第 6.2.15 条的规定。

7.3.5 挡水建筑物存在的专门性工程地质问题,应根据具体情况确定勘察内容,并应符合下列规定:

1 坝基可利用岩土体,应复核岩土体的工程地质特性,并根据地基受力状态,提出优化可利用建基面和预留保护层厚度的意见,提出优化地基加固处理措施的建议。

2 坝基(肩)抗滑稳定,应复核或补充查明地质边界条件和滑移模式,岩土体和结构面抗剪(断)强度,评价抗滑稳定性。提出优化加固处理的建议,完善岩土体位移监测的意见。

3 坝基变形,应复核岩土体变形稳定条件、变形(压缩)模量和承载力参数,评价坝基岩土体的变形稳定性及砂层的地震液化特性。提出优化加固处理的建议和完善岩土体位移监测的意见。

4 坝基渗漏和渗透变形稳定,应复核或补充查明坝址区水文地质条件,主要是岩土体的渗透性、临界水力比降和允许水力比降。评价坝基(肩)产生渗漏的条件、渗漏途径、渗漏形式及渗漏量;评价坝基产生渗透变形的条件和渗透变形形式。提出优化防渗及排水措施的建议,完善地下水动态观测的意见。

5 边坡稳定,应复核或补充查明影响边坡稳定性的工程地质、水文地质条件,岩土体物理力学性质参数。评价可能失稳边坡的地质边界条件,失稳机制、方式、规模和危害性。提出边坡开挖坡形、坡比的意见和优化处理措施的建议,完善岩土体位移监测和地下水动态观测的意见。

7.3.6 泄水、输水、厂区、通航建筑物存在的专门性工程地质问题应根据具体情况确定其勘察内容,并应符合下列规定:

1 地基稳定,包括抗滑稳定、抗冲稳定、渗透稳定,应复核或补充查明地基工程地质与水文地质条件、岩土体物理力学参数、渗透性分级和岩土体工程地质分类、抗冲刷参数,评价地基的稳定性。提出优化地基加固处理措施的建议并完善岩土体位移监测及地下水动态观测的意见。

2 围岩稳定,应复核或补充查明围岩的工程地质与水文地质条件,岩体地应力状况,围岩类别和岩体物理力学性质参数,评价围岩稳定性;预测产生岩爆、突水和围岩失稳的位置、规模;提出优化围岩加固处理措施的建议并完善围岩位移、外水压力监测的意见。

3 边坡稳定问题的复核应符合本规范第7.3.5条第5款的规定。

4 高压渗透稳定,应复核围岩在高压水头作用下的渗透特性,提出围岩的允许水力比降、劈裂压力、外水压力等;评价山体稳定性和提出优化高压管道衬砌形式和防渗、排水措施的建议。

5 基坑或洞室涌水,应复核场址水文地质条件,重点为富水层、含水构造、强透水带、与地表水体连通的断层破碎带、节理密集带和岩溶通道及采空区等,预测涌水类型、涌水量,提出处理措施的建议并完善地下水动态观测的意见。

7.3.7 应复核枢纽建筑物区自然边坡潜在失稳的类型、范围、规模、控制性结构面及力学参数、失稳模式、危害性等,并应在稳定性分析的基础上提出治理措施建议。

7.3.8 专门性工程地质问题勘察方法应符合下列规定:

1 勘察方法和勘察工作量应根据工程地质问题的复杂性、可行性研究阶段工程地质勘察工作的深度和条件等因素确定。

2 应分析和利用各种监测与观测资料。

3 当需要补充查明有关专门性问题工程地质条件时,应进行专门工程地质测绘,比例尺可选用1∶1000～1∶500,并应在原有勘察工作基础上补充布置勘探和试验工作。

4 设计优化勘察应结合工程具体部位,在原有勘察工作基础上适当加密勘探和增加试验工作。

7.3.9 专门性工程地质问题勘察应提交工程地质专题报告。

7.4 临时和辅助建筑物

7.4.1 应对枢纽区场地内规划的主要施工交通干道、桥梁、弃(堆)渣场、砂石料加工系统、混凝土拌和系统、供水工程、业主和承包商营地等临时和辅助建筑物的工程地质条件进行勘察,为场地选择、方案布置进行地质论证和提供设计所需的地质资料。

7.4.2 勘察内容应包括:初步查明规划场地的工程地质条件,对场地的稳定性、适宜性做出工程地质初步评价;提出地基承载力的建议值、边坡开挖坡形、坡比的初步意见,初步评价地基、围岩、边坡的稳定性,提出处理措施的建议与岩土体位移监测的意见。

7.4.3 勘察方法应符合下列规定:

1 临时和辅助建筑物场地勘察应全面收集、利用可行性研究阶段枢纽区的地质图件与勘探资料,并进行复查或补充勘察。

2 应根据具体工程情况开展工程地质测绘、勘探与试验工作。工程地质测绘比例尺可选用 1:2000~1:500。勘探与试验应结合设计方案布置。

7.4.4 临时和辅助建筑物工程地质勘察应提交本阶段专项工程地质勘察报告。

7.5 天然建筑材料

7.5.1 当遇下列情况之一时,应对天然建筑材料进行复查或补充勘察:

1 可行性研究报告审批要求补充论证。

2 料场条件发生较大变化需对详查级别的勘察成果进行复查。

3 设计方案改变,要求开辟新的料场时。

7.5.2 复查或补充勘察均应满足天然建筑材料勘察详查精度的要求,应针对料源遗留的具体问题开展勘探和试验。

7.5.3 应根据设计用料需求量,优选开采范围,分析开采过程中有关边坡稳定性、地表径流、施工涌水等问题,提出处理措施建议。

7.5.4 补充勘察应提交天然建筑材料专题报告。

7.6 勘 察 报 告

7.6.1 招标设计阶段工程地质勘察报告正文应包括:概述、水库工程地质、水工建筑物工程地质、临时建筑物、水库规划移民集中安置点与专项复建工程地质、天然建筑材料及结论,各章内容应符合现行行业标准《水电工程招标设计报告编制规程》DL/T 5212的有关规定。

7.6.2 报告附图、附件应符合本规范附录 A 的规定。

8 施工详图设计阶段工程地质勘察

8.1 一般规定

8.1.1 施工详图设计阶段工程地质勘察应在招标设计阶段工作基础上,检验、核定前期勘察的地质资料与结论,补充论证专门性工程地质问题,为施工详图设计提供工程地质资料。

8.1.2 施工详图设计阶段的勘察任务应包括下列内容:

1 对招标设计评审中要求补充论证的和枢纽建筑物施工期、水库蓄水过程中出现的专门性工程地质问题进行勘察。

2 进行施工地质工作,检验、核定前期勘察成果。

3 提出工程地质问题处理措施的建议。

4 分析施工期地质监测和检测资料,提出完善施工期和运行期工程地质监测和检测内容、布置方案和技术要求的建议。

5 为工程安全鉴定等提供地质资料。

8.2 专门性工程地质问题勘察

8.2.1 专门性工程地质问题勘察内容应根据工程的具体情况确定。

8.2.2 施工期和水库蓄水过程中库区发生下列情况,应进行专门性工程地质问题勘察:

1 当水库地震监测台、网监测的震情有明显变化时,应进行地震地质补充调查,鉴别地震类型,分析台网监测资料,研究发生的水库诱发地震的震中位置、震级和烈度,预测水库诱发地震的发展趋势。

2 当不稳定或潜在不稳定库岸边坡出现变形迹象,影响枢纽建筑物、水库运行、集中居民点生命财产和重要公用设施安全时,应复核影响库岸边坡稳定的工程地质条件,评价失稳的可能性及其影响,提出工程治理与防护措施建议。

3 当库区局部库段出现渗漏时,应复核渗漏区的水文地质条件,评价渗漏对工程的影响,提出防渗处理建议。

4 当浸没和塌岸区位置、范围发生重大变化时,应复核浸没、塌岸影响区的水文地质结构和水文地质条件,确定浸没、塌岸区范围,提出防护工程措施建议。

8.2.3 水库移民安置实施过程中,发现移民安置点存在影响场地整体稳定性的不良地质问题时,应进行补充勘察,提出工程处理建议。

8.2.4 根据施工开挖揭露的地质情况和监测、检测资料,枢纽建筑物布置区发生下列情况时,应进行专门性工程地质问题勘察:

1 当危害工程安全的潜在不稳定天然边坡和工程边坡出现破坏变形迹象时,应复核影响天然边坡和工程边坡的工程地质条件、潜在滑动面的分布和物理力学性质参数、失稳的可能性及对工程的影响,提出工程处理措施建议。

2 当建筑物地基、抗力体或地下建筑物围岩发现新的工程地质问题,导致建筑物设计条件发生变化时,应复核其水文地质、工程地质条件,岩土体物理力学性质参数,评价其对工程的影响,提出工程处理建议。

8.2.5 可溶岩地区,当施工过程中发现有大的溶洞和岩溶管道系统,并可能危害工程边坡、建筑物地基和围岩稳定,以及出现渗漏问题时,应进行专门性岩溶水文地质、工程地质补充勘察,提出工程处理建议。

8.2.6 在采料过程中发现天然建筑材料产地的储量、质量等发生较大变化时,应根据具体情况补充专门性勘察。

8.2.7 专门性工程地质问题的勘察方法应符合下列规定:

1 工程地质测绘比例尺可采用1:1000~1:200。

2 应根据地质问题的复杂性、前期勘察工作深度和场地条件等因素布置专门的勘探和试验。

3 应利用各种施工开挖工作面观察和收集地质资料,结合监测和检测资料,进行地质综合分析。

8.2.8 专门性工程地质问题勘察报告内容应根据实际存在的地质问题确定。报告正文可包括概述、地质概况、工程地质条件、分析与评价、工程处理建议和结论。报告附件应符合本规范附录 A 的规定。

8.3 施 工 地 质

8.3.1 水库区施工地质工作应符合下列规定:

1 水库蓄水过程中,应定期进行地质巡视,收集、分析发生的地质现象,检验和修正前期地质勘察资料,对影响水库正常运行、居民生命财产安全,以及因蓄水诱发的不良环境地质问题,提出地质建议,根据需要进行专门性工程地质问题勘察;

2 应提出运行期水库区的地质观测项目及其技术要求的建议。

8.3.2 枢纽建筑物场地布置区施工地质工作应包括下列内容:

1 分析建筑物场地布置区在施工过程中揭露的地质现象,检验和修正前期勘察资料,进行专门性工程地质问题补充勘察。

2 编录和测绘建筑物地基、围岩、工程边坡的地质现象,分析与地质有关的工程监测和检测资料,预测、预报可能出现的地质问题;核实建筑物地基、围岩、工程边坡岩土体的工程地质条件和物理力学参数。

3 提出优化地基、围岩、工程边坡的设计和施工方案的地质建议,及时对工程地质问题进行分析,提出处理建议,参与优化设计和工程处理措施的研究。

4 参与有关的检测和专门性试验工作。

5 参与建筑物地基、围岩、工程边坡及其不良地质体开挖的评价验收。

6 提出完善建筑物地基、围岩、边坡在施工期和运行期的水文地质工程地质监测和检测项目及其技术要求的建议。

8.3.3 应复核开采料场的天然建筑材料储量、质量及其开挖边坡稳定性。

8.3.4 施工地质工作应随工程施工进度,全过程进行动态的地质分析,及时反馈经修正或核定的地质资料。施工地质方法应采用地质巡视、观察、素描、实测、摄影和录像等手段,编录和测绘枢纽建筑物布置区施工揭露的地质现象,以及水库蓄水过程中发生的地质现象。工程地质测绘比例尺宜选用 1:1000～1:200,素描编录比例尺宜选用 1:200～1:50。

8.3.5 施工地质工作期间,应建立"施工地质日志",及时整编下列资料:

1 施工地质原始资料,包括施工编录资料,与监理、施工单位的来往文件等。

2 单项工程(标段)施工结束,应编写单项工程(标段)验收地质说明书。

3 工程度汛、截流、蓄水、机组启动验收以及施工期工程安全鉴定时,应提出相应的地质资料和意见。

4 施工地质结束后,应编写工程竣工地质报告。报告正文应包括概述、区域地质,水库工程地质条件评价,枢纽布置区基本地形地质条件,枢纽各建筑物场地施工开挖揭露的实际地质情况,地基、边坡、围岩的加固处理措施和工程地质条件评价,天然建筑材料评价意见,结论和建议。报告附图、附件应符合本规范附录 A 的规定。

8.3.6 施工地质工作结束,应将全部施工地质资料进行分类整理、归档。

9 抽水蓄能电站工程地质勘察

9.1 一般规定

9.1.1 抽水蓄能电站工程地质勘察工作应根据常规水电工程地质勘察基本规定和技术标准的要求,结合抽水蓄能电站建筑物对工程地质条件的特殊技术要求进行。

9.1.2 抽水蓄能电站应根据电力系统需要,确定普查范围,初选站址,选择若干站址开展选点规划勘察。选定站址的各阶段工程地质勘察工作与常规的水电工程相同,依序为预可行性研究阶段工程地质勘察、可行性研究阶段工程地质勘察、招标设计阶段工程地质勘察、施工详图设计阶段工程地质勘察。

9.2 选点规划阶段工程地质勘察

9.2.1 选点规划阶段工程地质勘察应对普查选择站址的区域地质,上水库、输水发电系统、下水库代表性方案及各主要建筑物场地进行工程地质论证,为比选站址、推荐近期开发工程提供地质依据。

9.2.2 选点规划阶段的勘察任务应包括下列内容:

1 了解站址的区域地质和地震活动概况。

2 了解站址上、下水库及各坝址的工程地质条件和主要工程地质问题,分析成库、建坝条件。

3 了解站址输水发电系统的工程地质条件和主要工程地质问题,分析成洞、建厂条件。

4 了解站址附近天然建筑材料的赋存情况。

9.2.3 区域构造稳定性的勘察内容与勘察方法应符合本规范第4.2节的规定。

9.2.4 上、下水库及其主、副坝坝址的勘察内容除应符合本规范第 4.3.1 条、第 4.4.1 条的规定外,还应包括下列内容:

1 了解可能导致水库渗漏的工程地质及水文地质条件,调查水库周边低矮垭口、单薄分水岭、低邻谷、贯穿库岸分水岭的断层破碎带、古河道、岩溶化岩层及泉、井的分布情况,分析水库渗漏的可能性。

2 了解库内外边坡的稳定情况,分析岸坡尤其是库水位变幅带边坡的稳定条件以及形成固体径流来源的可能性。

3 了解各坝址的地形地质条件、主要水文地质工程地质问题,分析建坝条件。

4 拟利用已建水库、挡水坝时,应收集了解其工程设计、施工和运行期的工程地质资料。

9.2.5 输水发电系统的勘察内容除应符合本规范第 4.5.1 条的规定外,尚应符合下列规定:

1 应了解地下洞室上覆岩体厚度和围岩稳定条件,分析输水发电系统沿线布置地下厂房洞室群以及调压井的地形地质条件。

2 应了解上、下水库进出水口和调压井的工程地质条件,分析对输水线路布置方案的影响。

9.2.6 应进行天然建筑材料普查,并分析利用库盆开挖料的可能。

9.2.7 上、下水库及坝址和输水发电系统的勘察方法除宜符合本规范第 4.3.2 条、第 4.3.3 条、第 4.4.3 条、第 4.5.2 条的规定外,尚应符合下列规定:

1 应以工程地质测绘为主,并配合必要的物探和轻型勘探,工程地质测绘所用地形图比例尺不应小于 1:5000。

2 一般站址水库主坝、输水发电系统,应有一条代表性勘探剖面。对拟推荐的近期工程,主坝坝址区应布置钻孔,钻孔不宜少于 3 个,水库区可能渗漏地段宜布置钻孔。

9.2.8 工程地质勘察成果应编入选点规划报告的工程地质篇章。

9.3 预可行性研究阶段工程地质勘察

9.3.1 预可行性研究阶段的工程地质勘察应在选点规划推荐的近期工程站址上进行,对枢纽工程各组合方案开展工程地质勘察。初步查明站址代表性枢纽方案的上水库及坝、输水发电系统、下水库及坝等主要建筑物的工程地质条件,对影响方案成立的主要工程地质问题做出初步评价,提供相应的工程地质勘察资料。

9.3.2 预可行性研究阶段的勘察任务应包括下列内容:

1 进行区域构造稳定性研究,对工程场地的构造稳定性和地震安全性做出评价。

2 初步查明各比较方案上、下水库和坝址的工程地质条件及主要工程地质问题,并对各方案做出初步评价。

3 初步查明各比较方案输水发电系统主要建筑物工程地质条件和主要工程地质问题,并做出初步评价。

4 对主要天然建筑材料进行初查。

9.3.3 区域构造稳定性研究宜符合本规范第 5.2 节的要求。当上水库位于孤立的峰顶夷平面时,应研究地震的放大效应。

9.3.4 上、下水库及各坝址的勘察内容除应符合本规范第 5.3.1 条、第 5.4.1 条的规定外,尚应初步查明下列内容:

1 库周垭口、单薄分水岭、库周及库底可能渗漏地段的主要工程地质、水文地质条件。

2 库岸稳定条件,分析库水位频繁变动对库岸稳定的影响。

3 固体径流的来源及对工程的可能影响。

4 位于沟谷斜坡地段坝址结构面的发育及其组合情况,特别是顺坡向结构面的发育特征,初步评价坝基斜坡的稳定条件。

5 当利用已建库、坝时,应详细了解工程设计、施工、运行中有关工程地质条件、问题和动态变化情况。

6 水库建设对环境地质的影响。

9.3.5 水库渗漏的勘察内容除应符合本规范第 5.3.2 条的规定

外,尚应初步查明下列内容:

1 可溶岩、强透水岩土层、断层破碎带、节理密集带、单薄分水岭、古河道、地形垭口的分布和水文地质特征。

2 库周特别是上水库地下水位及其动态、相对隔水层分布与埋藏特征。

3 可溶岩地区岩溶的发育与分布规律,水文地质结构、地下水补给、径流、排泄条件及与库外连通情况,评价对建库的影响程度。

9.3.6 库岸稳定的勘察内容除应符合本规范第5.3.3条的规定外,尚应初步查明下列内容:

1 库水位变动带范围内的边坡稳定条件。

2 库内工程边坡,包括库内扩库、利用库内开挖料筑坝等形成的边坡稳定条件。

3 库周特别是上水库外侧边坡稳定条件。

9.3.7 水库、坝址工程地质的勘察方法除应符合本规范第5.3.7条、第5.4.2条的要求外,尚应符合下列规定:

1 水库区工程地质测绘比例尺可采用1:5000,岩溶地区或有通向库外的渗漏通道,测绘范围应扩大到可能渗出地段。

2 宜利用综合物探方法探测水库区可能发生渗漏地段的地下水位、隔水层埋深以及古河道、岩溶通道、隐伏大断层破碎带的埋藏与延伸情况,库盆内覆盖层的厚度等。

3 水库周边垭口、单薄分水岭及库底应布置钻探,对可能存在库水渗漏的地段,应布置水文地质勘探剖面,勘探剖面线上的钻孔不宜少于3个,孔深应进入相对隔水层以下10m～15m。

4 利用钻孔、泉点、水井进行地下水长期观测,观测时间不应少于一个水文年。

5 对建于斜坡沟谷上的坝址应根据需要布置勘探平洞或竖井。

9.3.8 输水发电系统各方案主要建筑物的勘察内容除应符合本

规范第5.5.1条、第5.6.1条、第5.6.2条的规定外,尚应初步查明下列内容:

1 输水发电系统地下洞室沿线上覆及侧向岩体厚度,高压管道与厂房围岩类别,并了解初始地应力状态。

2 输水隧洞沿线山体的地下水位、岩体渗透特性等水文地质特征。

3 进出水口边坡稳定条件。

4 调压井部位的地形地质条件。

9.3.9 输水发电系统的勘察方法除应符合本规范第5.5.3条、第5.6.3条的要求外,尚应符合下列规定:

1 输水发电系统沿线工程地质测绘比例尺可采用1:5000,进出水口地段工程地质测绘比例尺可采用1:2000。

2 地下洞室沿线应利用综合物探方法或布置钻孔,初步查明隧洞沿线地下水分布和岩体渗透情况。

3 对枢纽工程代表性方案初拟的地下厂房与高压隧洞段应布置深孔钻探,孔深应深入隧洞或厂房底板以下10m~30m,并可进行岩体地应力测试等。

4 进出水口可布置勘探钻孔或平洞。

9.3.10 利用已建水库或天然湖泊作为上、下水库时,勘察内容和方法应符合下列规定:

1 应收集已有的勘察、设计、运行、观测、试验、开发利用的有关资料。

2 应复核渗漏、浸没、岸坡稳定、水质等水文地质、工程地质条件。根据调查、核实情况,可补充工程地质勘察。

3 应核实挡水坝、溢洪道、围堤、水闸等主要建筑物地基有关工程地质参数与地基处理情况以及堤、坝体填筑材料,结构特征,初步评价堤坝改扩建工程对地基的适应性。

4 堤、坝及溢洪道工程改扩建,应进行专门的工程地质勘察。

5 利用天然湖泊作为上、下库时,应结合工程,根据湖泊天然条件,开展工程地质勘察。

9.3.11 应进行天然建筑材料初查,并需考虑工程开挖渣料的利用,初步查明有用层储量、质量、开采及运输条件。

9.3.12 工程地质勘察报告的编写,宜符合本规范第5.9节的要求,根据站址主要工程地质问题的具体情况,适当增减、调整,并应包括下列内容:

1 上、下水库的水文地质条件,初步评价库水渗漏的可能性,初估渗流量,提出防渗措施建议。

2 初步评价库岸边坡的稳定性,预测固体径流来源及其对工程的影响。

3 输水发电系统沿线地质构造,水文地质条件,地应力状态,地下洞室围岩类别与稳定性分析。

9.4 可行性研究阶段工程地质勘察

9.4.1 可行性研究阶段工程地质勘察应在预可行性研究阶段勘察的基础上进行。查明水库及建筑物区的工程地质条件,为选定坝址、坝型、坝线、输水线路和发电厂房位置及其轴线方向提供地质依据。论证水库防渗形式,评价厂房和输水系统洞室围岩稳定性。提供水库及各建筑物设计所需的工程地质资料。

9.4.2 可行性研究阶段的勘察任务应包括下列内容:

1 查明上、下水库和各坝址的工程地质、水文地质条件,评价水库和坝址的渗漏条件及库岸稳定性。

2 对设置拦沙坝的水库,应查明拦沙库、拦沙坝和泄洪洞或排沙洞的工程地质条件。

3 查明厂房系统的工程地质条件,评价各洞室围岩稳定性。应重视对高压岔管部位岩体工程地质条件的勘察。

4 查明输水系统的工程地质条件,评价隧洞围岩稳定性及压力隧洞在高压水渗透条件下的围岩稳定性。

5 进行天然建筑材料详查。

9.4.3 上、下水库及其各坝址的勘察内容应符合本规范第6.2.1条、第6.3.1条、第6.4.1条、第6.5.1条及第9.3.4条的规定。

9.4.4 水库渗漏勘察应包括下列内容：

1 查明库周岩体渗透特性和地下水埋深。

2 查明水库垂向和侧向渗漏条件，主要漏水地段或渗漏通道的位置和规模。进行库周水文地质分段，评价各段的渗漏条件，估算水库渗漏量。

3 可溶岩地区应查明岩溶的发育规律、水文地质结构、地下水补给、径流、排泄条件及库内外连通情况、相对隔水层的分布等。

4 根据水库的水文地质特征及其渗漏条件，提出库盆防渗形式的建议。

9.4.5 水库库岸稳定勘察应包括下列内容：

1 查明库岸边坡的水文地质、工程地质条件，影响边坡稳定的边界条件，重点查明水位变幅带的边坡稳定条件，评价边坡稳定性。

2 查明水库对岸坡软弱结构面和软弱岩体渗透稳定性的影响，并做出工程地质评价。

3 查明上水库库岸单薄分水岭外侧边坡的工程地质条件，并评价其稳定性。

9.4.6 对于面板防渗的水库，应查明库盆防渗面板地基的工程地质条件，评价地基的不均匀变形等工程地质问题。

9.4.7 固体径流勘察应符合本规范第6.2.10条和第6.2.11条的规定。

9.4.8 水库和坝址的勘察方法应符合下列规定：

1 水库区工程地质测绘比例尺可采用1:5000～1:1000；坝址区工程地质测绘比例尺可采用1:1000～1:500。

2 水库边坡、库底、单薄分水岭垭口、库岸风化带、卸荷带、断裂带、岩溶通道及强透水岩层等均应布置勘探工作，勘探点间距宜为50m～100m。

3 水文地质钻孔宜布置于水库周边,地表分水岭垭口地段应布置钻孔,库盆开挖区和库底也应布置钻孔或平洞、坑槽、浅井和竖井等地质勘察工作,基岩钻孔应进行压水试验。

4 上水库库岸钻孔深度应达到库底高程以下10m～30m,对于邻谷切割较深的地表分水岭钻孔,孔深应达到地下水位以下20m～50m;对普遍覆盖的水库,宜重点进行物探、坑槽、浅井、竖井及钻孔等勘探。

5 坝轴线、趾板线等主要勘探线,应布置平洞和钻孔。钻孔深度应根据坝型、坝高来确定,并应符合本规范第6.3.3条、第6.4.3条、第6.4.4条的规定,且一般应达到弱风化带以下。防渗帷幕线钻孔深度应达到相对隔水层以下10m～15m。

6 库坝区的地下水露头(井、泉)及勘探钻孔,应进行泉水流量和地下水位的长期观测,观测时间应不小于一个水文年。

9.4.9 拟利用已建水库或天然湖泊作为电站水库时,应查明与抽水蓄能电站设计相关的工程地质问题。对改、扩建工程还应进行专门的工程地质勘察。

9.4.10 厂房系统工程地质的勘察内容应符合本规范第6.8.1条、第6.9.1条的规定,勘察方法应符合下列规定:

1 工程地质测绘比例尺可采用1∶2000,洞口、高边坡等局部地段测绘比例尺可采用1∶500。

2 勘探应符合下列规定:

1)地下厂房和压力管道岔管部位应布置勘探平洞和钻孔,主探洞宜沿输水隧洞轴线方向布置,平洞高程宜高于厂房洞室顶拱一定高度;

2)宜沿厂房轴线方向开挖勘探支洞,支洞超过厂房端墙的长度不应小于50m;

3)应利用厂房探洞布置钻孔或竖井,钻孔深度应至设计洞室底板高程以下10m～30m;

4)对厂房等建筑物有重要影响的软弱岩层、蚀变岩带、断层、节理密集带等,根据需要应进行专门的勘察。

3 应进行岩体的现场变形试验、抗剪试验、岩体地应力测试等,对地质条件复杂和工程规模大的洞室,可进行围岩收敛变形观测。

4 在平洞和钻孔内,宜至少采用两种方法进行岩体地应力测试,厂房部位宜采用应力解除法,高压隧洞和岔管部位宜采用水压致裂法和应力解除法;根据需要进行工程区地应力场的回归分析。

5 岔管部位应进行岩体高压压水试验。

6 应利用钻孔、勘探平洞和泉水等进行工程区地下水动态长期观测。

7 应进行放射性和有害气体的检测和预报。

8 对半地下式和地面厂房,应查明建筑物地基、井筒和边坡的工程地质条件以及水库渗漏对洞室及建筑物地基稳定的影响。

9.4.11 输水系统的勘察内容除应符合本规范第6.6.1条的规定外,还应包括下列内容:

1 查明输水系统进出水口的工程地质条件。选择适宜修进出水口建筑物、具备成洞条件和边坡稳定的地段作为上、下水库的进出水口位置。

2 查明引水隧洞、尾水隧洞等的工程地质水文地质条件,特别应查明压力管道在高压水作用下围岩的渗透稳定性,并作出工程地质评价。

3 查明调压井、闸门井等重要建筑物的工程地质条件。

4 输水系统的勘察方法应符合下列规定:

　1)上、下水库进出水口工程地质测绘比例尺可采用1:500,隧洞沿线工程地质测绘比例尺可采用1:2000;

　2)上、下水库进出水口地段应布置钻孔和平洞,压力管道、闸门井、调压井等部位应布置钻孔或平洞;

　3)压力管道等部位可进行地应力测试和岩体高压压水试验;

4)应利用钻孔、泉水等进行地下水动态长期观测。

9.4.12 天然建筑材料勘察除应符合本规范第 6.13.1 条的要求外,还应符合下列规定:

1 当拟利用工程开挖石料作为坝体填筑料时,应按石料场的勘察要求进行详查,并配合施工和设计进行挖填平衡的分析;库盆开挖石料场配合挖填平衡时的储量系数最小可取 1.2,但储量系数小于 1.5 时,应有备用料场。

2 应进行筑坝堆石料的物理力学性质试验,根据需要配合开展专题试验研究。

9.4.13 工程地质勘察报告正文应包括概述、区域地质背景与地震、工程区地质概况、上水库工程地质条件、发电厂房系统工程地质条件、输水系统工程地质条件、下水库工程地质条件、天然建筑材料、结论与建议。勘察报告的附图和附件宜结合抽水蓄能电站的特点,可按本规范附录 A 的规定进行编制。

9.5 招标设计阶段工程地质勘察

9.5.1 招标设计阶段工程地质勘察应在可行性研究选定方案的基础上进行,补充和完善可行性研究勘察成果,对前期勘察未涉及的建筑物进行地质勘察,为工程招标标书的编制提供地质资料。

9.5.2 招标设计阶段工程地质勘察任务应包括下列内容:

1 复核前期勘察的地质资料和结论。

2 对可行性研究阶段遗留的工程地质问题进行专门性工程地质问题勘察。

3 配合设计优化,进行补充工程地质勘察。

4 对场区公路、补水供水工程、渣场等前期勘察未涉及的场地进行工程地质勘察。

5 为工程区观测网、监测网和监测断面等的布置和实施提供地质资料和建议。

9.5.3 专门性工程地质问题勘察应在前期勘察成果的基础上,对下列问题进行复核性勘察：

1 对于设置防渗面板的水库,应复核水库岸坡稳定性和防渗面板地基的不均匀变形问题。

2 对于采用垂直防渗帷幕的水库,应复核防渗帷幕的范围和深度。

3 对于不做防渗处理的水库,应复核水库的封闭条件。

4 对于地下厂房洞室群,应复核围岩分类、稳定性及物理力学参数,并对支护措施的适应性提出建议。

5 对于钢筋混凝土衬砌的高压管道及岔管,应复核围岩的变形特征和高压水作用下的渗透稳定性。

6 应复核选定料场或可利用开挖料的储量和质量。

7 应复核工程边坡的稳定性。

9.5.4 招标设计阶段工程地质勘察报告应符合本规范第9.4.13条的规定,并宜符合现行行业标准《水电工程招标设计报告编制规程》DL/T 5212 的要求。

9.6 施工详图设计阶段工程地质勘察

9.6.1 施工详图设计阶段工程地质勘察应在招标设计基础上进行,结合施工开挖,检验前期勘察的地质资料与结论,并根据需要补充专门性工程地质问题勘察,提供设计优化所需的工程地质资料。

9.6.2 施工详图设计阶段的勘察任务除应符合本规范第8.1.2条规定外,尚应包括下列内容:

1 根据施工开挖过程中揭露的地质情况复核水库渗漏条件,提出优化防渗处理措施的建议。

2 根据上、下水库库盆和坝基开挖揭露的地质情况,复核影响岸坡和坝基的软弱岩(夹)层和软弱结构面及其物理力学参数,复核边坡和地基稳定性,提出处理措施建议。

3 根据地下建筑物开挖的地质情况和监测资料,预测围岩稳定性,提出优化支护措施的建议。

  4 根据施工开挖揭露的地质情况,复核库盆开挖用于筑坝的石料的质量、储量,并根据需要详查备用料场。

9.6.3 勘察方法应通过对工程开挖面的地质调查、素描、摄影、录像等手段,编录所揭示的地质现象。应对出现的专门性工程地质问题进行补充勘察和工程地质评价,并提出专题工程地质勘察报告。

9.6.4 施工地质工作内容和工作方法宜符合本规范第 8.3 节的要求。施工地质结束,应及时编制竣工地质报告。

附录 A 工程地质勘察报告附图、附件

表 A 工程地质勘察报告附图、附件

序号	附件名称	规划	预可行性研究	可行性研究	招标设计	施工详图设计
1	区域综合地质图（附综合地层柱状图和典型地质剖面）	√	√	+	—	—
2	区域构造纲要及地震震中分布图	+	√	√	—	—
3	水库区综合地质图（附综合地层柱状图和典型地质剖面）	+	√	√	+	—
4	坝址及其他建筑物区工程地质图（附综合地层柱状图）	√	√	√	√	+
5	地貌及第四纪地质图	—	+	+	—	—
6	水文地质图	—	+	+	+	—
7	坝址基岩地质图（包括基岩面等高线）	—	—	+	+	—
8	专门性问题地质图	—	+	+	√	√
9	施工地质编录图	—	—	—	—	+
10	天然建筑材料产地分布图	√	√	√	+	+
11	各料场综合成果图（含平面图、勘探剖面图、试验和储量计算成果表）	+	√	√	+	+
12	实际材料图	—	+	+	+	—

序号	附件名称	规划	预可行性研究	可行性研究	招标设计	施工详图设计
13	各比较坝址、引水线路或其他建筑物纵横剖面图	+	√	√	—	—
14	选定坝址、引水线路或其他建筑物地质纵横剖面图	—	√	√	√	+
15	坝基(防渗线)渗透剖面图	—	+	√	√	+
16	专门性问题地质剖面图或平切面图	—	+	+	√	√
17	钻孔柱状图	+	+	+	+	+
18	试槽、平洞、竖井展示图	+	+	+	+	+
19	岩矿鉴定报告	+	+	+	—	—
20	地震安全性评价报告	—	+	+	—	—
21	物探报告	+	√	√	+	+
22	岩土试验报告	—	√	√	√	+
23	水质分析报告	—	+	+	+	+
24	专门性工程地质问题研究报告	—	+	+	√	√

注:1 "√"表示应提交,"+"表示视需要而定,"—"表示不要求提交;

　　2 专门性工程地质问题研究报告是指各阶段为针对某一工程地质问题开展的专项地质勘察而编制的专题报告。

附录 B 岩溶渗漏评价

B.0.1 应在区域和工程地区岩溶调查和渗漏条件的宏观分析基础上,结合渗漏量估算对岩溶渗漏做出综合评价。

B.0.2 应根据地形地貌、地层岩性、地质构造、岩溶水与岩溶化程度对岩溶区水库渗漏逐次分析综合判定。

B.0.3 水库渗漏判别应符合下列规定:

1 地形地貌条件:非悬托河的邻谷河水位高于水库正常蓄水位者,不存在水库渗漏;低邻谷与河湾地段则可能出现渗漏。

2 地层岩性、地质构造条件:河间或河湾地块在水库正常蓄水位之下有连续、稳定可靠的隔水层或相对隔水层封闭阻隔,不存在水库渗漏;反之,因可溶岩直接沟通库内外,或构造切割使库内外可溶岩组成为有水力联系的统一岩溶含水系统时,则有可能出现渗漏。

3 岩溶水条件:河间或河湾地块为一个岩溶含水系统时,若河间地块两侧或河湾地块上、下游有稳定可靠的岩溶泉,则表明地块存在地下水分水岭。当地下水分水岭高于水库正常蓄水位时,则不存在渗漏。若地下水分水岭低于水库正常蓄水位,或是库内不出现岩溶泉,而受下游或远方排泄基准面控制,仅库外出现岩溶泉,则河谷水动力类型为河水补给地下水,将出现水库渗漏,且后者多为严重性的渗漏。

4 岩溶化程度条件:河间或河湾地块地下水分水岭虽低于水库正常蓄水位,甚至下游侧有地下水洼槽,若分水岭地带岩溶不发育,特别是无贯穿性的岩溶管道时也不会发生大量水库渗漏,其严重程度取决于地下水分水岭以上岩体的岩溶化程度。

B.0.4 坝基渗漏判别应符合下列规定:

1 地形地貌条件:峰林山原或丘峰平原浅切河谷上建坝,易发生绕坝渗漏,随蓄水位的抬升,渗漏范围迅速扩大,而坝基渗漏一般较浅;峰丛山地深切峡谷中建坝,一般绕坝渗漏范围较小,坝基渗漏较深;峰林山原向峰丛峡谷过渡的河段,特别是在河流裂点上、暗河或伏流段建坝,易出现复杂的岩溶渗漏。

2 地质构造条件:在有封闭良好的隔水层或相对隔水层的横向或斜向谷上建坝,若有渗漏,其范围受限制,有防渗依托;隔水层受断裂切割,或无隔水层以及可溶岩走向谷的坝址,易出现岩溶渗漏,其严重程度与河谷水动力条件和岩溶化程度有关。

3 岩溶水动力条件:坝基位于一个岩溶含水系统上,河谷两岸有稳定可靠的岩溶泉出露,为补给型水动力类型的河谷,在其上建坝,渗漏问题较小,范围和深度有限;两岸或一岸无稳定岩溶泉,并证实为排泄型或悬托型水动力条件类型的河谷,在其上建坝将出现渗漏,一般渗漏较严重且复杂。

4 岩溶化程度条件:坝基位于一个岩溶含水系统中,在河床或河岸有纵向岩溶管道发育,并有地下水洼槽者,将出现复杂的、严重的岩溶渗漏;坝基位于一个岩溶含水层中,库内某岸虽有纵向岩溶管道发育,但水库正常蓄水位以下范围内与河水无水力联系,其地下水洼槽不随库水位变化者,不一定出现渗漏。

B.0.5 岩溶渗漏量估算与评价应包括下列内容:

1 岩溶渗漏量估算:根据渗流介质的不同,可选择不同的经验公式进行渗漏量的估算。当为裂隙性介质时,可采用地下水动力学公式计算;当为管道性介质时,可采用水力学管道流公式计算;当两种介质均有时,应分别计算后再求和;也可采用类比法进行渗漏量的估算,但应注意其岩溶水文地质条件的相似性。

2 渗漏评价:应区分渗漏与工程部位的关系。对工程安全有影响的要进行渗控性质的处理;漏水量过大,影响水库发挥正常效益的要进行防漏性质的处理。其允许漏水量一般以河流多年平均流量的允许百分比作依据:多年调节水库,其允许百分比宜小于

5％；非多年调节水库，宜小于3％，或小于枯季平均流量的3％。

B.0.6 岩溶渗漏处理原则应符合下列规定：

1 防漏性质的处理，应区分不同情况分别对待。对影响工程效益和危害地质环境条件的严重渗漏带应先做处理后，再进行观测。若渗漏量在控制范围内，则可不处理；否则，应再实施第二期的防渗处理。

2 防渗性质的处理是为避免大坝坝基、坝肩，地下厂房等部位岩体产生岩溶冲蚀破坏和不允许的扬压力，或者是防潮湿需要。渗控工程除了防渗帷幕之外，常有排水工程。

3 防渗处理的线路、范围和深度选择应做技术经济比较。宜利用先导孔与其孔间透视或全数字孔壁成像技术找出防渗线上的岩溶洞穴。帷幕灌浆应先封堵溶洞，使管道介质变成裂隙性介质再灌浆，才能有效地形成帷幕。

附录 C　浸 没 评 价

C.0.1　浸没评价应依据当地浸没临界值与潜水回水位埋深之间的关系确定,当预测的潜水因水位埋深值小于浸没的临界地下水位埋深时,该地区即应判定为浸没区。

C.0.2　浸没的临界地下水位埋深,应根据地区具体水文地质条件、农业科研单位的田间实验观测资料和当地生产实践经验确定,也可按下式计算:

$$H_{cr} = H_k + \Delta H \qquad (C.0.2)$$

式中:H_{cr}——浸没的临界地下水位埋深(m);

　　　　H_k——地下水位以上,土壤毛细管水上升带的高度(m);

　　　　ΔH——安全超高值(m)。对农业区,该值即根系层的厚度;城镇和居民区,该值取决于建筑物荷载,基础形式和砌置深度。

C.0.3　土壤毛细管水上升带高度可根据农作物生长期的土壤适宜含水量和野外实测的地下水位以上土壤含水量,在盐碱化地区还要考虑土壤含盐量的情况随深度变化的曲线进行选取。城镇和居民区可通过对地下水位以上土的含水量变化曲线与水库蓄水前持力层的天然含水量的对比确定。

C.0.4　浸没评价宜分初判和复判两个阶段进行。浸没的初判应在调查水库区的地质与水文地质条件的基础上,排除不会发生浸没的地区,对可能浸没地区,可进行稳定态潜水回水预测计算,初步圈定浸没范围。经初判圈定的浸没地区应进行复判,并应对其危害做出评价。

C.0.5　初判时,根据下列标志之一可判定为不易浸没地区:

　1　库岸或渠道由相对不透水岩土层组成,或调查地区与库水间有相对不透水层阻隔;且该不透水层的顶部高程高于水库设计正常蓄水位。

2 调查地区与库岸间有经常性水流的溪沟,其水位等于或高于水库设计正常蓄水位。

C.0.6 初判时,根据下列标志之一,可判定为易浸没地区:

1 平原型水库的周边和坝下游,顺河坝或围堤的外侧,地面高程低于库水位地区。

2 盆地型水库边缘与山前洪积扇、洪积裙相连的地区。

3 潜水位埋藏较浅,地表水或潜水排泄不畅,补给量大于排出量的库岸地区,封闭或半封闭的洼地,或沼泽的边缘地区。

C.0.7 下列条件之一可作为次生盐渍化沼泽化的判别标志:

1 在气温较高地区,当潜水位被壅高至地表,排水条件又不畅时,可判为涝渍、湿地浸没区;对气温较低地区,可判为沼泽地浸没区。

2 在干旱、半干旱地区,当潜水位被壅高至土壤盐渍化临界深度时,可判为次生盐渍化浸没区。

C.0.8 初判阶段的潜水回水预测可用稳定态潜水回水计算方法,根据可能浸没区的地形、地貌、地质和水文地质条件,选定若干个垂直于水库库岸或垂直于渠道或平行地下水流向的计算剖面进行;在河湾地段地下水流向呈辐射状时,应考虑水流单宽流量变化所带来的影响。

C.0.9 浸没范围可在各剖面潜水稳定态回水计算的基础上,绘制水库蓄水后或渠道过水后可能浸没区潜水等水位线预测图或埋深分区预测图,结合实际调查确定的各类地区的地下水临界深度,初步圈出涝渍、次生盐渍化、沼泽化和城镇浸没区等的范围。

C.0.10 初判应只考虑设计正常蓄水位条件下的最终浸没范围。

C.0.11 浸没复判应包括内容:

1 核实和查明初判圈定的浸没地区的水文地质条件,获得比较详细的水文地质参数及潜水动态观测资料。

2 建立潜水渗流数学模型，进行非稳定态潜水回水预测计算，绘出设计正常蓄水位情况下库区周边的潜水等水位线预测图，预测不同库水位时的浸没范围。

3 复判时，应复核水库设计正常蓄水位条件下的浸没范围，并应根据需要计算水库运行规划中的其他代表性运行水位下的浸没情况。

C. 0. 12 浸没预测计算时，水库上游地区库水位应采用库尾水位翘高值；壅水前的地下水位，应采用农作物生长期的多年平均水位。

附录 D　岩土体物理力学性质参数取值

D.0.1　岩石(体)物理力学性质参数取值原则与试验成果整理方法应符合下列要求：

　　1　岩石(体)物理力学性质参数取值应以试验成果为依据。试验成果的整理应按国家现行有关岩石试验规程进行。分析试验成果的代表性及可信程度，舍去不合理的离散值。按岩石(体)及结构面的层位、岩性、类别，对试验成果进行统计整理。整理方法一般采用算术平均法(平均值、小值平均值、大值平均值)。抗剪(断)强度试验成果的整理，还需研究试件的破坏机理，分析剪应力-位移曲线图，分别按峰值、比例极限值、屈服值、残余强度值、长期强度值，点绘在剪应力-正应力关系图上，确定各单组试验成果的 c、ϕ 值，采用算术平均法对同一类别的岩体试验成果进行整理；或将同一类别岩体试验的剪应力、正应力点绘在关系图上，采用最小二乘法(点群中心法)、优定斜率法进行整理。

　　2　岩石(体)物理力学性质参数取值宜分为三个步骤：首先，根据试验成果分析整理得到试验标准值；其次，根据水工建筑物地基或围岩的工程地质条件、试件的地质代表性、尺寸效应等，对标准值进行调整，提出地质建议值；最后，在地质建议值的基础上，结合建筑物工作条件及其他已建工程的经验确定设计采用值。

　　3　规划、预可行性研究阶段，或当岩体力学性质参数试验资料不足时，可根据表 D.0.1-1 和表 D.0.1-2 结合地质条件进行折减，选用地质建议值。

表 D.0.1-1　坝基岩体力学参数

岩体分类		I	II	III	IV	V
混凝土与岩体	f'	$1.50 \geqslant f' > 1.30$	$1.30 \geqslant f' > 1.10$	$1.10 \geqslant f' > 0.90$	$0.90 \geqslant f' > 0.70$	$0.70 \geqslant f' > 0.40$
	$c'(MPa)$	$1.50 \geqslant c' > 1.30$	$1.30 \geqslant c' > 1.10$	$1.10 \geqslant c' > 0.70$	$0.70 \geqslant c' > 0.30$	$0.30 \geqslant c' > 0.05$
	f	$0.90 \geqslant f > 0.75$	$0.75 \geqslant f > 0.65$	$0.65 \geqslant f > 0.55$	$0.55 \geqslant f > 0.40$	$0.40 \geqslant f > 0.30$
	$c(MPa)$	0	0	0	0	0
岩体	f'	$1.60 \geqslant f' > 1.40$	$1.40 \geqslant f' > 1.20$	$1.20 \geqslant f' > 0.80$	$0.80 \geqslant f' > 0.55$	$0.55 \geqslant f' > 0.40$
	$c'(MPa)$	$2.50 \geqslant c' > 2.00$	$2.00 \geqslant c' > 1.50$	$1.50 \geqslant c' > 0.70$	$0.70 \geqslant c' > 0.30$	$0.30 \geqslant c' > 0.05$
	f	$0.95 \geqslant f > 0.80$	$0.80 \geqslant f > 0.70$	$0.70 \geqslant f > 0.60$	$0.60 \geqslant f > 0.45$	$0.45 \geqslant f > 0.35$
	$c(MPa)$	0	0	0	0	0
变形模量 E_0 (GPa)		>20.0	$20.0 \geqslant E_0 > 10.0$	$10.0 \geqslant E_0 > 5.0$	$5.0 \geqslant E_0 > 2.0$	$2.0 \geqslant E_0 > 0.2$

注：1　表中岩体即坝基岩。

2　f'、c' 为抗剪断强度，f、c 为抗剪强度，均为饱和峰值强度。

3　表中参数限于硬质岩，软质岩应根据岩石软化系数进行折减。

表 D.0.1-2　结构面、软弱层和断层的抗剪断和抗剪强度

类　　型	抗剪断强度		抗剪强度	
	f'	c'(MPa)	f	c(MPa)
胶结的结构面	0.80～0.60	0.250～0.100	0.80～0.60	0
无充填的结构面	0.70～0.45	0.150～0.050	0.70～0.45	0
岩块岩屑型	0.55～0.45	0.200～0.100	0.50～0.40	0
岩屑夹泥型	0.45～0.35	0.100～0.050	0.40～0.30	0
泥夹岩屑型	0.35～0.25	0.050～0.010	0.30～0.25	0
泥	0.25～0.18	0.010～0.002	0.25～0.15	0

注：1　表中胶结和无充填结构面参数限于硬质岩中的结构面,软质岩中的结构面
　　　　应进行折减。

　　2　胶结或无充填的结构面抗剪断强度,应根据结构面的粗糙程度选取大值或
　　　　小值。

　　3　表中参数为饱和状态。

D.0.2　岩石物理力学性质参数取值方法应符合下列要求：

　　1　对均质岩石的密度、单轴抗压强度、抗拉强度、点荷载强度、弹性模量、波速等物理力学性质参数,应采用试验成果的算术平均值作为标准值。

　　2　对非均质的各向异性的岩体,可划分成若干小的均质体或按不同岩性分别试验取值；对层状结构岩体,应按建筑物荷载方向与结构面的不同交角进行试验,以取得相应条件下岩石的单轴抗压强度、点荷载强度、弹性模量、泊松比、波速等试验值,并应采用算术平均值作为标准值。

D.0.3　岩体及结构面力学性质参数取值方法应符合下列要求：

　　1　岩体变形参数取值方法应符合下列规定：

　　　　1)岩体变形模量或弹性模量应根据岩体实际承受工程作用
　　　　力方向和大小进行现场试验,并以压力-变形曲线上建筑
　　　　物预计最大荷载下相应的变形关系为依据,应按岩体类
　　　　别、工程地质单元、区段或层位归类进行整理(应舍去不

合理的离散值），采用试验成果的算术平均值作为标准值，根据试件的地质代表性对标准值适当调整，提出地质建议值。

2）坝基岩体允许承载力，硬质岩宜根据岩石饱和单轴抗压强度，结合岩体结构、裂隙发育程度及岩体完整性，可按 1/3～1/10 折减后确定地质建议值；软质岩、破碎岩体宜采用现场载荷试验（取比例极限）确定，也可采用超重型动力触探试验或三轴压缩试验确定其允许承载力。当软质岩的天然饱和度接近 100% 时，其天然状态下的抗压强度可视为软岩的饱和单轴抗压强度。

2 岩体及结构面抗剪（断）强度参数取值方法应符合下列规定：

1）混凝土坝基础底面与基岩间的抗剪（断）强度取值方法应符合下列规定：

①抗剪断强度应取峰值强度，抗剪强度应取比例极限强度与残余强度二者的小值或取二次剪（摩擦试验）峰值强度。当采用各单组试验成果整理时，应取小值平均值作为标准；当采用同一类别岩体试验成果整理时，应取优定斜率法的下限值作为标准值；

②应根据基础底面和基岩接触面剪切破坏性状、工程地质条件和岩体应力对标准值进行调整，提出地质建议值；

③对新鲜、坚硬的岩浆岩，在岩性、起伏差和试件尺寸相同的情况下，也可采用坝基混凝土强度等级的 6.5%～7.0% 估算凝聚力。

2）岩体抗剪（断）强度取值方法应符合下列规定：

①岩体抗剪断强度应取峰值强度；

②岩体抗剪强度，当试件呈脆性破坏时，应取比例极限强度与残余强度两者的小值或二次剪（摩擦试验）的峰值强度；当试件呈塑性破坏或弹塑性破坏时，应取屈服强

度或取二次剪峰值强度；

　　③试验成果整理方法及取值同混凝土坝基础底面与基岩间抗剪(断)强度取值方法；

　　④应根据裂隙充填情况、试验时剪切破坏性状、剪切变形量和岩体地应力等因素对标准值进行调整，提出地质建议值。

3)刚性结构面抗剪(断)强度取值方法应符合下列规定：

　　①抗剪断强度应取峰值强度，抗剪强度应取残余强度或取二次剪(摩擦试验)峰值强度。当采用各单组试验成果整理时，应取小值平均值作为标准值；当采用同一类别结构面试验成果整理时，应取优定斜率法的下限值作为标准值；

　　②应根据结构面的粗糙度、起伏差、张开度、结构面壁强度等因素及剪切破坏性状对标准值进行调整，提出地质建议值。

4)软弱结构面抗剪(断)强度取值方法应符合下列规定：

　　①软弱结构面应根据岩块岩屑型、岩屑夹泥型、泥夹岩屑型和泥型四类分别取值；

　　②抗剪断强度应取峰值强度，当试件黏粒含量大于30%或有泥化镜面或黏土矿物以蒙脱石为主时，抗剪断强度应取流变强度；抗剪强度应取屈服强度或残余强度。整理方法同刚性结构面；

　　③当软弱结构面有一定厚度时，应考虑厚度的影响。当厚度大于起伏差时，软弱结构面应采用软弱物质的抗剪(断)强度作为标准值；当厚度小于起伏差时，还应采用起伏差的最小爬坡角，提高软弱物质抗剪(断)强度试验值作为标准值；

　　④根据软弱结构面的类型和厚度的总体地质特征及剪切破坏性状进行调整，提出地质建议值。

D.0.4 土体物理力学性质参数取值原则与试验成果整理方法应符合下列要求:

1 土的物理力学性质参数取值应以室内试验成果为依据。当土体具有明显的各向异性或工程设计有特殊要求时,应以现场测试成果为依据。

2 收集土体试验样品的原始结构、天然含水率,以及试验时的加载方式和具体试验方法等控制试验质量的因素,分析成果的可信程度。

3 试验成果可按土体类别、工程地质单元、区段或层位分类,并舍去不合理的离散值,分别用算术平均法、最小二乘法(点群中心法)等进行整理。

4 试验成果经过统计整理后确定土体物理力学性质参数标准值。根据水工建筑物地基的工程地质条件,在试验标准值基础上提出土体物理力学性质参数地质建议值。根据水工建筑物荷载、分析计算工况等特点确定土体物理力学参数设计采用值。

5 规划、预可行性研究阶段,或当试验组数较少时,坝、闸基础底面与地基之间的摩擦系数可结合地质条件,根据表 D.0.4 选用地质建议值。

表 D.0.4 坝、闸基础底面与地基土之间摩擦系数值

地基土类型		摩擦系数 f
卵石、砾石		$0.55 \geqslant f > 0.50$
砂		$0.50 \geqslant f > 0.40$
粉土		$0.40 \geqslant f > 0.25$
黏土	坚硬	$0.45 \geqslant f > 0.35$
	中等坚硬	$0.35 \geqslant f > 0.25$
	软弱	$0.25 \geqslant f > 0.20$

D.0.5 土体物理力学性质参数取值方法应符合下列规定:

1 土体的物理水理性质参数应以试验的算术平均值作为标

准值,进而提出地质建议值。

2 土体的渗透性质参数取值方法应符合表 D.0.5-1 的规定。

表 D.0.5-1　土体的渗透性质参数取值方法

渗透性质参数	取 值 方 法
渗透系数	1. 地基渗透系数可根据土体结构、渗流状态,采用室内试验或抽水试验的大值平均值作为标准值； 2. 用于水位降落和排水计算的渗透系数,当设计排水孔时,应采用试验的小值平均值作为标准值； 3. 用于供水工程计算的渗透系数,应采用抽水试验的平均值作为标准值
允许比降值	1. 允许比降值应以土的临界水力比降为基础,除以安全系数确定。安全系数的取值,一般情况下取 1.5～2.0,即流土型通常取 2.0,对特别重要的工程也可取 2.5；管涌型一般可取 1.5。临界比降值等于或小于 0.1 的土体,安全系数可取 1.0； 2. 允许比降值也可按现场及室内渗透变形试验过程中,细颗粒移动逸出时的前 1 级～2 级比降值选取其允许比降值,不再考虑安全系数； 3. 当渗流出口有反滤层保护时,应考虑反滤层的作用,这时土体的水力比降值应是反滤层的允许比降值

3 土体的承载及变形参数取值方法应符合表 D.0.5-2 的规定。

表 D.0.5-2　土体承载及变形参数取值方法

承载及变形参数	取 值 方 法
承载力	1. 根据载荷试验成果之比例极限确定特征值； 2. 根据土工试验成果,以计算方法确定； 3. 根据钻孔动力触探、标准贯入试验、静力触探试验、旁压试验等测试成果确定,以试验成果的算术平均值作为标准值
压缩模量 E_s	从压缩试验的压力-变形曲线上,以建筑物最大荷载下相应的变形关系选取试验值或按压缩试验的压缩性能,根据其固结程度选定试验值；以试验成果值的算术平均值作为标准值；对于高压缩性软土,宜以试验的压缩模量的大值平均值为标准值
变形模量 E_0	从有侧胀条件下土的压力-变形曲线上,以建筑物最大荷载下相应的变形关系表示。以试验成果值的算术平均值作为标准值

4 坝(闸)基土体抗剪参数取值方法应符合下列规定：

1) 混凝土坝、闸基础底面与地基土间的抗剪强度,对黏性土地基,内摩擦角标准值可采用室内饱和固结快剪试验内摩擦角值的 90%,凝聚力标准值可采用室内饱和固结快剪试验凝聚力值的 20%～30%;对砂性土地基,内摩擦角标准值可采用内摩擦角试验值的 85%～90%,不计凝聚力值。

2) 土的抗剪强度宜采用试验峰值的小值平均值作为标准值;当采用有效应力进行稳定分析时,对三轴压缩试验成果,采用试验的平均值作为标准值。

3) 当采用总应力进行稳定分析时的标准值,应符合以下规定：

①当地基为黏性土层且排水条件差时,宜采用饱和快剪强度或三轴压缩试验不固结不排水剪切强度,对软土可采用现场十字板剪切强度;

②当地基黏性土层薄而其上下土层透水性较好或采取了排水措施,宜采用饱和固结快剪强度或三轴压缩试验固结不排水剪切强度;

③当地基土层能自由排水,透水性能良好,不容易产生孔隙水压力,宜采用慢剪强度或三轴压缩试验固结排水剪切强度;

④当地基土采用拟静力法进行总应力动力分析时,宜采用振动三轴压缩试验测定的总应力强度。

4) 当采用有效应力进行稳定分析时的标准值,应符合以下规定：

①对于黏性土类地基,应测定或估算孔隙水压力,以取得有效应力强度;

②当需要进行有效应力动力分析时,地震有效应力强度可采用静力有效应力强度作为标准值;

③对于液化性砂土,应测定饱和砂土的地震附加孔隙水压力,并以专门试验的强度作为标准值。

5)对于无动力试验的黏性土和紧密砂砾等非液化土的强度,宜采用三轴压缩试验饱和固结不排水剪测定的总强度和有效应力强度中的最小值作为标准值。

6)具有超固结性、多裂隙性和胀缩性的膨胀土,承受荷载时呈渐进破坏,宜根据所含黏土矿物的性状、微裂隙的密度和建筑物地段在施工期、运行期的干湿效应等综合分析后选取标准值。具有流变特性的强、中等膨胀土,宜取流变强度值作为标准值;弱膨胀土、含钙铁结核的膨胀土或坚硬黏土,可以取峰值强度的小值平均值作为标准值。

7)软土宜采用流变强度值作为标准值。对高灵敏度软土,应采用专门试验的强度值作为标准值。

附录 E 移民集中安置点场地稳定性和适宜性分类

E.0.1 移民集中安置点场地稳定性分类应符合表 E.0.1 的规定。

表 E.0.1 水电工程移民安置点场地稳定性分类标准

场地稳定性类别	分 级 要 素
稳定	1.区域构造稳定性好； 2.为建筑抗震有利地段； 3.场地工程地质条件简单，场地及周边不存在影响场地安全的滑坡、崩塌及危岩、泥石流、水库浸没及塌岸、岩溶及土洞、采空区和地面沉降等不良地质作用
较稳定	1.区域构造稳定性较好； 2.为建筑抗震一般地段； 3.场地工程地质条件较简单，场地及周边不存在或虽然存在影响场地安全，但易于整治的滑坡、崩塌及危岩、泥石流、水库浸没及塌岸、岩溶及土洞、采空区和地面沉降等不良地质作用
稳定性较差	1.区域构造稳定性较差； 2.为建筑抗震不利地段； 3.场地工程地质条件较复杂，场地及周边存在影响场地安全，且较难整治的滑坡、崩塌及危岩、泥石流、水库浸没及塌岸、岩溶及土洞、采空区和地面沉降等不良地质作用
稳定性差	1.区域构造稳定性差； 2.为建筑抗震危险地段； 3.场地工程地质条件复杂，场地及周边存在影响场地安全，且难于整治的滑坡、崩塌及危岩、泥石流、水库浸没及塌岸、岩溶及土洞、采空区和地面沉降等不良地质作用

注:1 每一级场地的稳定性类别,符合表中条件之一即可;

2 从稳定性差开始,向稳定性较差、较稳定、稳定推定,以最先满足的为准。

E.0.2 区域构造稳定性分级应符合表 E.0.2 的规定。

表 E.0.2 区域构造稳定性分级

参 量	稳定性好	稳定性较好	稳定性较差	稳定性差
地震峰值加速度 $a(g)$	$a<0.09$	$0.09 \leqslant a<0.19$	$0.19 \leqslant a<0.38$	$a \geqslant 0.38$
地震基本烈度	$\leqslant$ Ⅵ	Ⅶ	Ⅷ	$\geqslant$ Ⅸ
活断层	近场区 25km 无活断层	5km 内无活断层	5km 内有长度 $<$10km 的活断层,震级$<$5级发震构造	5km 内有长度大于 10km 的活断层,震级$\geqslant$5 级的发震构造
地震与震级 M	$M<4\frac{3}{4}$ 级的地震活动	有 $4\frac{3}{4} \leqslant M<$ 6 的地震活动	有 $6 \leqslant M<6\frac{3}{4}$ 地震活动或不多于一次 $M \geqslant$ 7 地震活动	有多次 $M \geqslant 6\frac{3}{4}$ 强地震活动

E.0.3 移民集中安置点建筑抗震地段类别划分应符合表 E.0.3 的规定。

表 E.0.3 建筑抗震地段类别划分标准

地段类别	地形、地貌、地质
有利地段	地形开阔,稳定基岩,坚硬土,平坦、密实、均匀的中硬土等
一般地段	不属于有利、不利和危险的地段
不利地段	条状突出的山嘴,高耸孤立的山丘,陡坡,陡坎,河岸和边坡的边缘,软弱土,液化土,平面分布上成因、岩性、状态明显不均匀的土层(含古河道、疏松的断层破碎带、暗埋的塘浜沟谷和半填半挖地基),高含水量的可塑黄土,地表存在裂缝等
危险地段	地震时可能发生滑坡、崩塌、地陷、地裂、泥石流等及发震断裂带上可能发生地表错位的部位

E.0.4 移民集中安置点场地工程建设适宜性分类应符合表 E.0.4 的规定。

表 E.0.4 水电工程移民安置点场地工程建设适宜性分类标准

场地工程建设适宜性分类	工程地质与水文地质条件
适宜	1.场地稳定,场地及其周围不存在危害场地、地基稳定的不良地质现象; 2.地形开阔平坦,地面坡度<10°,场地平整简单; 3.地质构造简单,岩土性质均一,工程性质良好,基础处理简单; 4.地下水对工程建设无明显不利影响,地表排水条件良好; 5.工程建设不会引起次生地质灾害
较适宜	1.场地较稳定,无危害场地稳定的较大规模不良地质现象,地质灾害治理简单; 2.场地较完整,地形有起伏,地面坡度 10°~15°,场地平整较简单,工程量较小; 3.岩土种类较多,分布较不均匀,工程性质较差,基础处理工程量较小; 4.地下水对工程建设影响小,地表排水条件较好; 5.工程建设可能引起次生地质灾害,采取一般工程处理措施可以解决
适宜性差	1.场地稳定性较差,场地及其周围存在危害场地、地基稳定的较大规模不良地质现象,地质灾害治理难度较大; 2.地形起伏较大,地面坡度 15°~25°,场地平整较困难,需采取工程处理措施,场平工程量较大; 3.岩土种类多,分布不均匀,工程性质差,基础处理工程量较大; 4.地下水对工程建设影响较大,地表易形成内涝; 5.工程建设可引起次生地质灾害,需采取较大规模工程防护措施

场地工程建设适宜性分类	工程地质与水文地质条件
不适宜	1.场地稳定性差,场地及其周围存在危害场地、地基稳定的大规模不良地质现象,地质灾害治理难度大; 2.地形复杂,地面坡度≥25°,场地平整很困难,需采取大规模工程处理措施,场平工程量大; 3.岩土种类多、分布不均匀,工程性质差,基础处理工程量大; 4.地表、地下水对工程建设影响严重; 5.工程建设会引起严重的次生地质灾害,需采取大规模工程处理措施; 6.场地内地下埋藏有待开采的矿产资源或采空区

注:1 表中未列的条件,可按其对场地工程建设的影响程度比照推定。

2 划分场地工程建设适宜性类别,符合表中条件之一即可。

3 从不适宜开始,向适宜性差、较适宜、适宜推定,以最先满足的为准。

附录 F 岩体结构面分级

F.0.1 岩体结构面分级宜符合表 F.0.1 的规定。

表 F.0.1 岩体结构面分级

级　别	规　模	
	破碎带宽度(m)	破碎带延伸长度(m)
Ⅰ	＞10.0	区域性断裂
Ⅱ	1.0～10.0	＞1000
Ⅲ	0.1～1.0	100～1000
Ⅳ	＜0.1	＜100
Ⅴ	节理裂隙	

附录 G 岩体风化带划分

G.0.1 岩体风化带的划分应符合表 G.0.1 的规定。

表 G.0.1 岩体风化带划分

风化带	主要地质特征	风化岩纵波速与新鲜岩纵波速之比 α
全风化	1. 全部变色,光泽消失; 2. 岩石的组织结构完全破坏,已崩解和分解成松散的土状或砂状,有很大的体积变化,但未移动,仍残留有原始结构痕迹; 3. 除石英颗粒外,其余矿物大部分风化蚀变为次生矿物; 4. 锤击有松软感,出现凹坑,矿物手可捏碎,用锹可以挖动	$\alpha < 0.4$
强风化	1. 大部分变色,只有局部岩块保持原有颜色; 2. 岩石的组织结构大部分已破坏,小部分岩石已分解或崩解成土,大部分岩石呈不连续的骨架或心石,风化裂隙发育,有时含大量次生夹泥; 3. 除石英外,长石、云母和铁镁矿物已风化蚀变; 4. 锤击哑声,岩石大部分变酥,易碎,用镐撬可以挖动,坚硬部分需爆破	$0.4 \leqslant \alpha < 0.6$
弱风化 (中等风化)	1. 岩石表面或裂隙面大部分变色,但断口仍保持新鲜岩石色泽; 2. 岩石原始组织结构清楚完整,但风化裂隙发育,裂隙壁风化剧烈; 3. 沿裂隙铁镁矿物氧化锈蚀,长石变得浑浊、模糊不清; 4. 锤击发音较清脆,开挖需用爆破	$0.6 \leqslant \alpha < 0.8$

风化带	主要地质特征	风化岩纵波速与新鲜岩纵波速之比 α
微风化	1. 岩石表面或裂隙面有轻微褪色； 2. 岩石组织结构无变化,保持原始完整结构； 3. 大部分裂隙闭合或为钙质薄膜充填,仅沿大裂隙有风化蚀变现象,或有锈膜浸染； 4. 锤击发音清脆,开挖需用爆破	$0.8 \leqslant \alpha < 1.0$
新鲜	1. 保持新鲜色泽,仅大的裂隙面偶见褪色； 2. 裂隙面紧密、完整或焊接状充填,仅个别裂隙面有锈膜浸染或轻微蚀变； 3. 锤击发音清脆,开挖需用爆破	$\alpha = 1.0$

G.0.2 遇有下列情况之一时,岩体风化带的划分可适当调整(见表 G.0.2):

1 当某一级风化岩体厚度很大需要进一步细分时,可再分出两个或三个次一级亚带,分别采用上、中、下带命名。

2 选择性风化作用地区,当发育囊状风化、隔层风化、沿裂隙风化等特定形态的风化带时,可根据岩石的风化状态确定其等级。

3 某些特定地区,岩体风化剖面呈非连续性过渡时,分级可缺少一级或二级。

表 G.0.2 碳酸盐岩溶蚀风化带划分

风 化 带	主要地质特征
强溶蚀风化带	1. 岩体全部或大部分呈黄褐色,沿断层、裂隙及层面等溶蚀强烈,溶隙、溶沟、溶槽、溶缝及风化裂隙发育,充填黏土、碎块石,溶蚀风化宽度多达数厘米至数十厘米不等； 2. 岩石断口色泽较新鲜,组织结构清楚、完整； 3. 岩体完整性较差至完整性差,岩体强度低

风 化 带		主要地质特征
弱溶蚀风化带（中等溶蚀风化带）	上亚带	1. 岩体少部分呈黄褐色，沿断层、裂隙及层面等溶蚀较强烈，以发育溶蚀裂隙或层间软弱夹层为主，充填夹泥现象普遍或胶结物蚀变明显，溶蚀风化宽度一般大于 1cm； 2. 岩石组织结构无变化，断口色泽新鲜，岩石表面或裂隙面溶蚀、风化蚀变或褪色明显； 3. 岩体完整性受结构面溶蚀风化明显，岩体强度明显降低
	下亚带	1. 岩体颜色基本新鲜，沿断层、裂隙及层面等溶蚀较强烈，溶蚀裂隙密度或层间夹层泥化程度呈减弱趋势，充填夹泥现象较普遍或胶结物蚀变较明显，溶蚀风化宽度一般大于 0.5cm； 2. 岩石组织结构清楚，岩石表面或裂隙面普遍有褪色； 3. 岩体完整性受结构面溶蚀风化明显，岩体强度有所降低
微溶蚀风化带		1. 岩体色泽新鲜，沿断层、长大裂隙、个别层面等溶蚀扩展或发育溶孔、晶洞等现象，充填和夹泥现象较少，溶蚀风化宽度一般小于 0.5cm； 2. 岩石组织结构清楚、无变化，岩石表面或裂隙面有轻微褪色； 3. 岩体完整性受溶蚀影响轻微，整体力学强度降低不明显，结构面或层面受溶蚀影响部位力学强度有所降低

G.0.3 碳酸盐岩溶蚀风化带划分应符合下列要求：

1 灰岩、白云质灰岩、灰质白云岩、白云岩等碳酸盐岩，其风化往往具溶蚀风化的特点，溶蚀风化带的划分应符合本规范表 G.0.2 的规定。

2 部分白云岩（因微裂隙极其发育）、灰岩（因特殊结构构造，如豆状、鲕状构造）有时具均匀风化特点，当其均匀明显时，其风化带宜按本规范表 G.0.1 划分。

3 灰岩与泥岩之间的过渡岩类，随泥质含量的增加，其风化形式逐渐由溶蚀风化向均匀风化过渡，当以溶蚀风化为主时，风化带划分宜按本规范表 G.0.2 进行，当以均匀风化为主，风化划分宜按本规范表 G.0.1 进行。

附录 H 岩体卸荷带划分

表 H 岩体卸荷带划分

卸荷带	主要地质特征
强卸荷	卸荷裂隙发育较密集,普遍张开,一般开度为几厘米至几十厘米,多充填次生泥及岩屑、岩块,有架空现象,部分可看到明显的松动或变位错落,卸荷裂隙多沿原有结构面张开,岩体多呈整体松弛
弱卸荷	卸荷裂隙发育较稀疏,开度一般为几毫米至几厘米,多有次生泥充填,卸荷裂隙分布不均匀,常呈间隔带状发育,卸荷裂隙多沿原有结构面张开,岩体部分松弛
深卸荷	深部裂缝松弛段与相对完整段相间出现,成带发育,开度几毫米至几十厘米不等,一般无充填,少数有锈染或夹泥,岩体弹性波纵波速变化较大

注:对于整体松弛卸荷作用不强烈时,可不分带。

附录 J　边坡稳定分析

J.0.1　边坡稳定分析应具备下列资料：

1　地形和地貌特征。

2　地层岩性和岩土体结构特征。

3　断层、裂隙和软弱层的展布、产状、充填物质以及结构面的组合与连通率。

4　边坡岩体风化、卸荷深度。

5　各类岩土和潜在滑动面的物理力学参数以及岩体地应力。

6　岩土体变形监测和地下水观测资料。

7　坡脚淹没、地表水位变幅和坡体透水与排水资料。

8　降雨历时、降雨强度和冻融资料。

9　地震基本烈度和动参数。

10　边坡施工开挖方式、开挖程序、爆破方法、边坡外荷载、坡脚采空和开挖坡的高度与坡度等。

J.0.2　边坡变形破坏应根据表 J.0.2 进行分类。

表 J.0.2　边坡变形破坏分类

变形破坏类型		变形破坏特征
崩塌		边坡岩体坠落或滚动
滑动	平面型	边坡岩体沿某一结构面滑动
	折面型	边坡岩体沿两组及以上结构面组成的底滑面滑动
	弧面型	散体结构、碎裂结构的岩质边坡或土坡沿弧形滑动面滑动
	楔形体	结构面组合的楔形体，沿滑动面交线方向滑动

续表 J.0.2

变形破坏类型		变形破坏特征
蠕变	倾倒	反倾向或陡倾层状结构的边坡,岩层逐渐向外弯曲、倾倒
	溃屈	顺倾向层状结构的边坡,岩层倾角与坡角大致相似,边坡下部岩层逐渐向上鼓起,产生层面拉裂和脱开
	张裂	双层结构的边坡,下部软岩产生塑性变形或流动,使上部岩层发生扩展、移动张裂和下沉
流动		崩塌碎屑类堆积向坡脚流动,形成碎屑流

J.0.3 当边坡存在下列现象之一时,应进行稳定分析:

1 坡脚被水淹没或开挖切脚的新老滑坡、崩塌体。

2 边坡岩体中存在倾向坡外、倾角小于坡角的结构面。

3 边坡岩体中存在两组或两组以上结构面组合的楔形体,其交线倾向坡外、倾角小于边坡角。

4 坡面上出现平行坡向的张裂缝或环形裂缝的边坡。

5 顺坡向卸荷裂隙发育的高陡边坡,表层岩体已发生蠕变的边坡。

6 已发生倾倒变形的高陡边坡。

7 已发生张裂变形的下软上硬的双层结构边坡。

8 分布有巨厚崩坡积物的高陡边坡。

9 倾向坡外的基岩与覆盖层接触界面。

10 其他稳定性可疑的边坡。

J.0.4 边坡稳定分析应符合下列要求:

1 对边坡岩体中实测结构面的产状、延伸长度,应进行结构面调查统计分析,确定结构面贯通情况或连通率;应用赤平投影方法,确定结构面组合交线产状。

2 应根据边坡工程地质条件,对边坡的变形破坏类型做出初步判断。

3 岩质边坡稳定分析可采用刚体极限平衡方法,根据滑动面或潜在滑动面的几何形状,选用合适的公式计算。同倾角多滑动面的岩质边坡宜采用模拟断裂结构面组合的平面斜分条块法和斜分块弧面滑动法,试算出临界滑动面和最小安全系数;均匀的土质边坡可采用滑弧条分法计算。根据工程实际需要可进行模型试验和原位监测资料的反分析,验证其稳定性。

4 应选择代表性的地质剖面进行计算,并应采用不同的计算公式进行校核,综合评定该边坡的稳定安全系数。当不同地质剖面用同一公式计算而得出不同的边坡稳定安全系数值时,宜取其最小值;当同一地质剖面采用不同公式(瑞典圆弧法除外)计算得出不同的边坡稳定安全系数值时,宜取其平均值。

5 计算中应考虑地下水压力对边坡稳定性的不利作用。分析水位骤降时的库岸稳定性应计入地下水渗透压力的影响。在地震基本烈度为Ⅶ度或Ⅶ度以上的地区,应计算地震作用力的影响。

6 稳定性验算的岩土力学性质参数地质建议值,应按照本规范附录 D 的规定选取,并应遵守下述原则:岩质边坡潜在的滑动面抗剪强度可取峰值强度;古滑坡或多次滑动的滑动面的抗剪强度可取残余强度,或取滑坡反算的抗剪强度。

J.0.5 建筑物周边自然边坡浅表层潜在不稳定体可按表 J.0.5 分类评价。

表 J.0.5　自然边坡浅表层潜在不稳定体分类评价

类型	地 质 特 征	勘 察 方 法	稳定性评价方法
危石	单个或数个分散分布的孤石、大块石	数码摄影、测量定位、实测体积等	定性分析判断

类型	地 质 特 征	勘 察 方 法	稳定性评价方法
危岩体（松动体）	1. 原岩强烈风化、卸荷、松动、掉块后形成的具有一定分布面积，厚度不大（小于25m），无统一底滑面控制的松动破碎岩体，坡体内裂隙发育，岩体完整差，存在崩塌的可能，常分布在陡峭、单薄山脊、山梁地段； 2. 底部与母岩连续，三面临空，后缘已拉裂的较大体积块体，并有不断扩展的可能，岩体相对较完整，多分布孤立陡峭的山脊	地质测绘、3D激光扫描、数码成像、洞探等	定性分析判断，计算分析
松散堆积体	以碎石土为主，夹杂块石、孤石类，多分布在坡脚、坡面缓坡、高位台地、沟槽谷底等部位。如常见的崩塌堆积体、滑坡堆积体、坡积体、沟内洪积体、泥石流堆积体、冰川碎屑流堆积体、冻融风化残积体等	地质测绘、3D激光扫描、钻探等	坡积体内按圆弧法计算，基岩与覆盖层界面按不平衡推力法计算
变形体	相对完整的原岩边坡，存在明显变形但未整体滑移破坏的岩质边坡，如蠕滑拉裂岩体、倾倒变形岩体、溃屈变形岩体等。 1. 有特定的结构面组合，厚度不大，底部有潜在滑移面，变形明显，岩体松动破碎； 2. 无特定的结构面组合，也未形成贯通性潜在滑移面，变形程度向深部逐渐减弱，浅表层松动破碎	地质测绘、3D激光扫描、钻探、洞探等	1. 用滑面强度参数进行刚体极限平衡法计算，对倾倒边坡宜增加数值分析方法计算； 2. 根据变形程度进行剖面分带，用变形岩体强度参数进行刚体极限平衡法计算

附录 K 环境水对混凝土腐蚀评价

K.0.1 环境水对混凝土的腐蚀程度分级,应符合表 K.0.1 的规定。

表 K.0.1 腐蚀程度分级

腐蚀程度	一年内腐蚀区混凝土的强度降低 $F(\%)$	腐蚀的表面特征
无腐蚀	0	—
弱腐蚀	$F<5$	材料表面略有损坏
中等腐蚀	$5\leqslant F<20$	侧壁表面有明显隆起、剥落
强腐蚀	$F\geqslant20$	材料有明显的破坏(严重裂开、掉小块)

K.0.2 判别环境水对混凝土的腐蚀性时,应搜集分析工程场地的气候条件,冰冻资料,海拔高程,岩土性质,环境水的补给、排泄、循环和滞留条件以及污染情况等资料。

K.0.3 环境水对混凝土腐蚀性的判别标准,应符合表 K.0.3 的规定。

表 K.0.3 环境水腐蚀判定标准

腐蚀性类型	腐蚀性特征判定依据		腐蚀程度	界 限 指 标
分解类	溶出型	HCO_3^- 含量 (mmol/L)	无腐蚀	$HCO_3^->1.07$
			弱腐蚀	$1.07\geqslant HCO_3^->0.70$
			中等腐蚀	$HCO_3^-\leqslant0.70$
			强腐蚀	—

腐蚀性类型		腐蚀性特征判定依据	腐蚀程度	界 限 指 标	
分解类	一般酸性型	pH 值	无腐蚀	pH>6.5	
			弱腐蚀	6.0<pH≤6.5	
			中等腐蚀	5.5<pH≤6.0	
			强腐蚀	pH≤5.5	
	碳酸型	侵蚀性 CO_2 含量 (mg/L)	无腐蚀	CO_2<15	
			弱腐蚀	15≤CO_2<30	
			中等腐蚀	30≤CO_2<60	
			强腐蚀	CO_2≥60	
分解结晶复合类	硫酸镁型	Mg^{2+} 含量 (mg/L)	无腐蚀	Mg^{2+}<1000	
			弱腐蚀	1000≤Mg^{2+}<1500	
			中等腐蚀	1500≤Mg^{2+}<2000	
			强腐蚀	Mg^{2+}≥2000	
结晶类	硫酸盐型	SO_4^{2-} 含量 (mg/L)		普通水泥	抗硫酸盐水泥
			无腐蚀	SO_4^{2-}<250	SO_4^{2-}<3000
			弱腐蚀	250≤SO_4^{2-}<400	3000≤SO_4^{2-}<4000
			中等腐蚀	400≤SO_4^{2-}<500	4000≤SO_4^{2-}<5000
			强腐蚀	SO_4^{2-}≥500	SO_4^{2-}≥5000

K.0.4 当采用本规范表 K.0.3 进行环境水对混凝土腐蚀性判别时,应符合下列要求:

1 所属场地应是不具有干湿交替或冻融交替作用的地区和具有干湿交替或冻融交替作用的半湿润、湿润地区。当所属场地为具有干湿交替或冻融交替作用的干旱、半干旱地区以及高程3000m 以上的高寒地区应进行专门论证。

2 混凝土一侧承受静水压力,另一侧暴露于大气中,最大作用水头与混凝土壁厚之比大于5。

3 混凝土建筑物所采用的混凝土抗渗标号不应小于 W_4 ,水灰比不应大于 0.6。

4 混凝土建筑物不应直接接触污染源。有关污染源对混凝土的直接腐蚀作用应专门研究。

附录 L 围岩工程地质分类

L.0.1 围岩工程地质分类,可分为围岩初步分类和围岩详细分类。根据分类结果,评价围岩的稳定性,并可作为确定支护类型的基础。围岩分类应符合表 L.0.1 的规定。

表 L.0.1 围岩工程地质分类

围岩类别	围岩稳定性评价	支护类型
I	1.稳定; 2.围岩可长期稳定,一般无不稳定块体	不支护或局部锚杆或喷薄层混凝土; 大跨度时,喷混凝土,系统锚杆加钢筋网
II	1.基本稳定; 2.围岩整体稳定,不会产生塑性变形,局部可能产生组合块体失稳	
III	1.局部稳定性差; 2.围岩强度不足局部会产生塑性变形,不支护可能产生塌方或变形破坏。完整的较软岩,可能短时稳定	喷混凝土,系统锚杆加钢筋网。大跨度时,并加强柔性或刚性支护
IV	1.不稳定; 2.围岩自稳时间很短,规模较大的各种变形和破坏都可能发生	喷混凝土,系统锚杆加钢筋网,并加强柔性或刚性支护,或浇筑混凝土衬砌
V	1.极不稳定; 2.围岩不能自稳,变形破坏严重	

L.0.2 围岩初步分类主要依据岩质类型和岩体结构类型或岩体完整程度,适用于规划和预可行性研究阶段,并应符合表 L.0.2 的规定。

表 L.0.2　围岩初步分类

岩质类型	岩体结构类型	岩体完整程度	围岩初步分类	
			类别	说　明
硬质岩	整体状或巨厚层状结构	完整	Ⅰ、Ⅱ	坚硬岩定Ⅰ类,中硬岩定Ⅱ类
	块状结构	较完整	Ⅱ、Ⅲ	坚硬岩定Ⅱ类,中硬岩定Ⅲ类
	次块状结构		Ⅱ、Ⅲ	坚硬岩定Ⅱ类,中硬岩定Ⅲ类
	厚层状或中厚层状结构		Ⅱ、Ⅲ	坚硬岩定Ⅱ类,中硬岩定Ⅲ类
	互层状结构		Ⅲ、Ⅳ	洞轴线与岩层走向夹角小于30°时,定Ⅳ类
	薄层状结构	完整性差	Ⅳ、Ⅲ	岩质均一,无软弱夹层时,可定Ⅲ类
	镶嵌结构		Ⅲ	—
	块裂结构		Ⅳ	—
	碎裂结构	较破碎	Ⅳ、Ⅴ	有地下水时,定Ⅴ类
	碎块状或碎屑状结构	破碎	Ⅴ	—
软质岩	整体状或巨厚层状结构	完整	Ⅲ、Ⅳ	较软岩无地下水时定Ⅲ类,有地下水时定Ⅳ类;软岩定Ⅳ类
	块状或次块状结构	较完整	Ⅳ、Ⅴ	无地下水时定Ⅳ类;有地下水时定Ⅴ类
	厚层、中厚层或互层状结构		Ⅳ、Ⅴ	无地下水时定Ⅳ类;有地下水时定Ⅴ类
	薄层状或块裂结构	完整性差	Ⅴ、Ⅳ	较软岩无地下水时定Ⅳ类
	碎裂结构	较破碎	Ⅴ、Ⅳ	较软岩无地下水时定Ⅳ类
	碎块状或碎屑状散体结构	破碎	Ⅴ	—

L.0.3 岩质类型的确定,应符合表 L.0.3 的规定。

表 L.0.3 岩质类型划分

岩质类型	硬质岩		软质岩	
	坚硬岩	中硬岩	较软岩	软岩
岩石饱和单轴抗压强度 R_b(MPa)	$R_b > 60$	$60 \geqslant R_b > 30$	$30 \geqslant R_b > 15$	$15 \geqslant R_b > 5$

L.0.4 岩体完整程度的划分,应符合表 L.0.4 的规定。

表 L.0.4 岩体完整程度划分

岩体完整程度	完整	较完整		完整性差		较破碎	破碎
结构面发育组数	1~2	1~2	2~3	2~3	2~3	>3	无序
结构面间距(cm)	>100	100~50	50~30	30~10	<10	<10	—
结构面发育程度	不发育	轻度发育	中等发育	较发育	发育	很发育	—

注:结构面间距指主要结构面间距的平均值。

L.0.5 围岩详细分类应以控制围岩稳定的岩石强度、岩体完整程度、结构面状态、地下水和主要结构面产状五项因素之和的总评分为基本判据,围岩强度应力比为限定判据,主要用于可行性研究、招标和施工详图设计阶段,并应符合表 L.0.5 的规定。

表 L.0.5 地下洞室围岩详细分类

围岩类别	围岩总评分 T	围岩强度应力比 S
I	$T > 85$	>4
II	$85 \geqslant T > 65$	>4
III	$65 \geqslant T > 45$	>2
IV	$45 \geqslant T > 25$	>2
V	$T \leqslant 25$	—

注:I、II、III、IV、V 类围岩,当其强度应力比小于本表规定时,围岩类别宜相应降低一级。

L.0.6 围岩强度应力比 S 可根据式(L.0.6)求得：

$$S = \frac{R_b K_V}{\sigma_m} \qquad (L.0.6)$$

式中：R_b——岩石饱和单轴抗压强度(MPa)；

K_V——岩体完整性系数，为岩体的纵波波速与相应岩石的
纵波波速之比的平方；

σ_m——围岩的最大主应力(MPa)，当无实测资料时可以自
重应力代替。

L.0.7 地下洞室围岩详细分类中五项因素的评分应符合下列规定：

1 岩石强度的评分应符合表 L.0.7-1 的规定。

表 L.0.7-1　岩石强度评分

岩 质 类 型	硬质岩		软质岩	
	坚硬岩	中硬岩	较软岩	软岩
饱和单轴抗压强度 R_b(MPa)	$R_b>60$	$60 \geqslant R_b>30$	$30 \geqslant R_b>15$	$15 \geqslant R_b>5$
岩石强度评分 A	$30 \sim 20$	$20 \sim 10$	$10 \sim 5$	$5 \sim 0$

注：1　岩石饱和单轴抗压强度大于 100MPa 时，岩石强度的评分为 30。

2　当岩体完整程度与结构面状态评分之和小于 5 时，岩石强度评分大于 20
的，按 20 评分。

2 岩体完整程度的评分应符合表 L.0.7-2 的规定。

表 L.0.7-2　岩体完整程度评分

岩体完整程度		完整	较完整	完整性差	较破碎	破碎
岩体完整性系数 K_V		$K_V>0.75$	$0.75 \geqslant K_V>0.55$	$0.55 \geqslant K_V>0.35$	$0.35 \geqslant K_V>0.15$	$K_V \leqslant 0.15$
岩体完整	硬质岩	$40 \sim 30$	$30 \sim 22$	$22 \sim 14$	$14 \sim 6$	<6
性评分 B	软质岩	$25 \sim 19$	$19 \sim 14$	$14 \sim 9$	$9 \sim 4$	<4

注：1　当 $60MPa \geqslant R_b>30MPa$，岩体完整性程度与结构面状态评分之和>65 时，
按 65 评分。

2　当 $30MPa \geqslant R_b>15MPa$，岩体完整性程度与结构面状态评分之和>55 时，
按 55 评分。

3　当 $15MPa \geqslant R_b>5MPa$，岩体完整性程度与结构面状态评分之和>40 时，
按 40 评分。

4　当 $R_b \leqslant 5MPa$，属极软岩，岩体完整性程度与结构面状态不参加评分。

3 结构面状态的评分应符合表 L.0.7-3 的规定。

表 L.0.7-3　结构面状态评分

结构面状态	张开度 W (mm)	闭合 W<0.5		微张 0.5≤W≤5.0									张开 W≥5.0	
	充填物	—		无充填			岩屑			泥质			岩屑	泥质
	起伏粗糙状况	起伏粗糙	平直光滑	起伏粗糙	起伏光滑或平直粗糙	平直光滑	起伏粗糙	起伏光滑或平直粗糙	平直光滑	起伏粗糙	起伏光滑或平直粗糙	平直光滑	—	—
结构面状态评分 C	硬质岩	27	21	24	21	15	21	17	12	15	12	9	12	6
	较软岩	27	21	24	21	15	21	17	12	15	12	9	12	6
	软岩	18	14	17	14	8	14	11	8	10	8	6	8	4

注：1　结构面的延伸长度小于 3m 时，硬质岩、较软岩的结构面状态评分另加 3
　　　分；软岩另加 2 分；结构面的延伸长度大于 10m 时，硬质岩、较软岩的结构
　　　面状态评分减 3 分，软岩减 2 分。

　　　2　当结构面张开度大于 10mm、无充填时，结构面状态的评分为零。

4 地下水状态的评分应符合表 L.0.7-4 的规定。

表 L.0.7-4　地下水状态评分

活动状态	干燥到渗水、滴水	线状流水	涌水
水量 q(L/min·10m 洞长) 或压力水头 H(m)	$q \leqslant 25$ 或 $H \leqslant 10$	$25 < q \leqslant 125$ 或 $10 < H \leqslant 100$	$q > 125$ 或 $H > 100$

活 动 状 态			干燥到 渗水、滴水	线状流水	涌水
基本 因素 评分 T'	$T'>85$	地下水 评分 D	0	$0\sim-2$	$-2\sim-6$
	$85{\geqslant}T'>65$		$0\sim-2$	$-2\sim-6$	$-6\sim-10$
	$65{\geqslant}T'>45$		$-2\sim-6$	$-6\sim-10$	$-10\sim-14$
	$45{\geqslant}T'>25$		$-6\sim-10$	$-10\sim-14$	$-14\sim-18$
	$T'{\leqslant}25$		$-10\sim-14$	$-14\sim-18$	$-18\sim-20$

注:基本因素评分 T' 是前述岩石强度评分 A、岩体完整性评分 B 和结构面状态评分 C 的和。

5 主要结构面产状的评分应符合表 L.0.7-5 的规定。

表 L.0.7-5 主要结构面产状评分

结构面 走向与 洞轴线 夹角		$90°\sim60°$				$60°\sim30°$				$<30°$		
结构面 倾角		$>70°$	$70°$ $\sim45°$	$<45°$ $\sim20°$	$<20°$	$>70°$	$70°$ $\sim45°$	$<45°$ $\sim20°$	$<20°$	$>70°$	$70°$ $\sim45°$	$<45°$ $\sim20°$	$<20°$
结构 面产 状评 分 E	洞顶	0	-2	-5	-10	-2	-5	-10	-12	-5	-10	-12	-12
	边墙	-2	-5	-2	0	-5	-10	-2	0	-10	-12	-5	0

注:按岩体完整程度分级为完整性差、较破碎和破碎的围岩不进行主要结构面产状评分的修正。

L.0.8 本围岩分类不适用于埋深小于 2 倍洞径或跨度的地下洞室和特殊土、岩溶洞穴发育地段的地下洞室。极高地应力区和极软岩($R_b{\leqslant}5\mathrm{MPa}$)中的围岩分类,可根据工程实际情况进行专门研究。

L.0.9 大跨度地下洞室围岩的分类除采用本分类外,尚应采用其他有关国家标准综合评定,还可采用国际通用的围岩分类(如 Q 系统分类)对比使用。

附录 M 泥石流分类

M.0.1 泥石流按流体性质分类宜符合表 M.0.1 的规定。

表 M.0.1 泥石流按流体性质分类

流体性质	物质组成特征		密度 (t/m³)	固体物质含量 (%)	流动状态	堆积特征	
	浆体	非浆体				沟内	沟口
黏性泥石流	由黏粒、粉粒组成的黏稠性泥浆,黏度值≥0.3Pa·s	由砂、砾(碎)、漂(块)、孤石等组成	1.6～2.3	40～80	呈似层状流,无垂直交换,浆体浓稠,浮托力大,流体直进性强,弯道爬高明显	多见泥石流残留物、泥痕等	无分选性,泥砾大小混杂堆积,或具反粒序堆积;剖面上可见不同期次泥石流的堆积间断面
稀性泥石流	由不含或少含黏性物质组成的混浊泥浆状水流,黏度值<0.3Pa·s	主要由砂、砾(碎)、块石等组成	1.3～1.6	10～40	呈紊流,有垂直交换,冲、淤变化大	少见泥石流残留物、泥痕等	堆积物略具分选性,以粗粒物质为主

M.0.2 泥石流按其一次性暴发规模分类宜符合表 M.0.2 的规定。

表 M.0.2　泥石流规模分类

分 类 指 标	特大型	大型	中型	小型
泥石流一次堆积总量(×10⁴m³)	≥100	10～100	1～10	＜1
泥石流洪峰流量(m³/s)	≥200	100～200	50～100	＜50

注:泥石流一次堆积总量为 10×10^4 m³和泥石流洪峰流量为 100m³/s 时属于大型泥石流。

M.0.3　泥石流按其爆发频率,可分为高频率泥石流和中频率、低频率泥石流三类。泥石流按频率分类宜符合表 M.0.3 的规定。

表 M.0.3　泥石流按频率分类

泥石流类型	高频泥石流	中频泥石流	低频泥石流
泥石流发生周期(年)	≤5	5～20	＞20
泥石流特征	1.泥石流规模大小不一,沟床上涨明显,通常可见老泥石流堆积;形成区崩塌、滑坡发育,植被较差; 2.泥石流冲淤频繁,向主河输送泥沙大,危险区内土地难以利用	1.泥石流规模大小不一,沟床上涨较明显,通常可见老泥石流堆积;形成区崩塌、滑坡较发育; 2.泥石流间歇性冲淤,危险区内土地利用率低,向主河输送较多泥沙	1.泥石流规模较大,沟床冲刷强烈;老泥石流堆积扇发育较好,老台地保存较好,分布面积大,流域内滑坡不活跃,植被覆盖率高; 2.现代泥石流活动洪痕不明显,而一旦暴发则来势猛,规模大,往往酿成巨大灾害,具有较大的潜在危险性

附录 N 岩土渗透性分级

表 N 岩土渗透性分级

渗透性等级	标准		岩体特征	土类
	渗透系数 K（cm/s）	透水率 q（Lu）		
极微透水	$K<10^{-6}$	$q<0.1$	完整岩体，含等价开度小于 0.025mm 裂隙的岩体	黏土
微透水	$10^{-6}\leqslant K<10^{-5}$	$0.1\leqslant q<1$	含等价开度 0.025mm～0.050mm 裂隙的岩体	黏土-粉土
弱透水	$10^{-5}\leqslant K<10^{-4}$	$1\leqslant q<10$	含等价开度 0.05mm～0.10mm 裂隙的岩体	粉土-细粒土质砂
中等透水	$10^{-4}\leqslant K<10^{-2}$	$10\leqslant q<100$	含等价开度 0.1mm～0.5mm 裂隙的岩体	砂-砂砾
强透水	$10^{-2}\leqslant K<1$	$q\geqslant 100$	含等价开度 0.5mm～2.5mm 裂隙的岩体	砂砾-砾石、卵石
极强透水	$K\geqslant 1$		含连通孔洞或等价开度大于 2.5mm 裂隙的岩体	粒径均匀的巨砾

附录 P 土的渗透变形判别

P.0.1 土的渗透变形的判别应包括下列内容：

1 土的渗透变形类型的判别。

2 流土和管涌的临界水力比降的确定。

3 土的允许水力比降的确定。

P.0.2 土的渗透变形可分为以下四种类型：

1 流土。

2 管涌。

3 接触冲刷。

4 接触流失。

其中1、2类渗透变形主要出现在单一地基中，3、4类主要出现在双层地基中。对黏性土而言，渗透变形主要为流土和接触流失。

P.0.3 无黏性土渗透变形形式的判别应符合下列要求：

1 不均匀系数小于或等于5的土，其渗透变形为流土。

2 对于不均匀系数大于5的土，可采用下列方法判别：

1）流土：

$$P_c \geqslant 35\% \qquad (P.0.3-1)$$

2）过渡型取决于土的密度、粒级、形状：

$$25\% \leqslant P_c < 35\% \qquad (P.0.3-2)$$

3）管涌：

$$P_c < 25\% \qquad (P.0.3-3)$$

式中：P_c——土的细粒颗粒含量，以质量百分率计（%）。

4）土的细粒含量可按下列方法确定：

①级配不连续的土，级配曲线中至少有一个以上的

粒径级的颗粒含量小于或等于 3％的平缓段,粗细粒的区分粒径 d_f 以平缓段粒径级的最大和最小粒径的平均粒径区分,或以最小粒径为区分粒径,相应于此粒径的含量为细颗粒含量。对于天然无黏性土,不连续部分的平均粒径多为 2mm。

②级配连续的土,区分粗粒和细粒粒径的界限粒径 d_f 按下式计算:

$$d_f = \sqrt{d_{70} d_{10}} \qquad \text{(P.0.3-4)}$$

式中:d_f——粗细粒的区分粒径(mm);

d_{70}——小于该粒径的土的质量占土的总质量 70％的颗粒粒径(mm);

d_{10}——小于该粒径的土的质量占土的总质重 10％的颗粒粒径(mm)。

5)土的不均匀系数可采用下式计算:

$$C_u = \frac{d_{60}}{d_{10}} \qquad \text{(P.0.3-5)}$$

式中:C_u——土的不均匀系数;

d_{60}——小于该粒径的土的质量占土的总质量 60％的土粒粒径(mm);

d_{10}——小于该粒径的土的质量占土的总质重 10％的土粒粒径(mm)。

3 接触冲刷宜采用下列方法判别:

对双层结构的地基,当两层土的不均匀系数均小于或等于 10,且符合下式规定的条件时,不会发生接触冲刷。

$$\frac{D_{20}}{d_{20}} \leqslant 8 \qquad \text{(P.0.3-6)}$$

式中:D_{20},d_{20}——分别代表较粗和较细一层土的土粒粒径(mm),小于该粒径的质量占土的总质量的 20％。

4 接触流失宜采用下列方法判别:

对于渗流向上的情况,符合下列条件将不会发生接触流失:

1)不均匀系数小于或等于 5 的土层:

$$\frac{D_{15}}{d_{85}} \leqslant 5 \qquad (P.0.3-7)$$

式中:D_{15}——较粗一层土的土粒粒径(mm),小于该粒径的土的质量占土的总质量的 15%;

d_{85}——较细一层土的土粒粒径(mm),小于该粒径的土的质量占土的总质量的 85%。

2)不均匀系数小于或等于 10 的土层:

$$\frac{D_{20}}{d_{70}} \leqslant 7 \qquad (P.0.3-8)$$

式中:D_{20}——较粗一层土的土粒粒径(mm),小于该粒径的土的质量占土的总质量的 20%;

d_{70}——较细一层土的土粒粒径(mm),小于该粒径的土的质量占土的总质量的 70%。

P.0.4 无黏性土流土与管涌的临界水力比降确定方法:

1 流土型宜采用下式计算:

$$J_{cr} = (G_s - 1)(1 - n) \qquad (P.0.4-1)$$

式中:J_{cr}——土的临界水力比降;

G_s——土粒密度与水的密度之比;

n——土的孔隙率(以小数计)。

2 管涌型或过渡型宜采用下式计算:

$$J_{cr} = 2.2(G_s - 1)(1 - n)^2 \frac{d_5}{d_{20}} \qquad (P.0.4-2)$$

式中:d_5、d_{20}——分别占土的总质量的 5% 和 20% 的土粒粒径(mm)。

3 管涌型也可采用下式计算:

$$J_{cr} = \frac{42 d_3}{\sqrt{\dfrac{K}{n^3}}} \qquad (P.0.4-3)$$

式中：K——土的渗透系数(cm/s)；

    d_3——占土的总质量 3% 的土粒粒径(mm)。

    4 土的渗透系数应通过渗透试验测定。若无渗透系数试验资料，可根据下式计算近似值：

$$K=2.34n^3 d_{20}^2 \qquad (P.0.4-4)$$

式中：K——土的渗透系数(cm/s)；

    d_{20}——占土的总质量 20% 的土粒粒径(mm)。

P.0.5 无黏性土的允许水力比降宜采用下列方法确定：

    1 以土的临界水力比降除以 1.5～2.0 的安全系数；对水工建筑物的危害较大，取 2 的安全系数；对于特别重要的工程也可用 2.5 的安全系数。

    2 无试验资料时，可根据表 P.0.5 选用经验值。

表 P.0.5 无黏性土允许水力比降

允许水力比降	渗透变形型式					
	流土型			过渡型	管涌型	
	$C_u \leqslant 3$	$3 < C_u \leqslant 5$	$C_u \geqslant 5$		级配连续	级配不连续
$J_{允许}$	0.25～0.35	0.35～0.50	0.50～0.80	0.25～0.40	0.15～0.25	0.10～0.20

注：本表不适用于渗流出口有反滤层情况。若有反滤层作保护，则可提高 2 倍～3 倍。

P.0.6 两层土之间的接触冲刷临界水力比降 $J_{k.H.g}$ 可按下式计算：

    如果两层土都是非管涌型土，则

$$J_{k.H.g}=\left(5.0+16.5\frac{d_{10}}{D_{20}}\right)\frac{d_{10}}{D_{20}} \qquad (P.0.6)$$

式中：d_{10}——代表细层的粒径(mm)，小于该粒径的土重占总土重的 10%；

    D_{20}——代表粗层的粒径(mm)，小于该粒径的土重占总土重的 20%。

P.0.7 黏性土流土临界水力比降的确定可按下列公式计算：

$$J_{c.cr} = \frac{4c}{\gamma_w D_0} + 1.25(G_s - 1)(1 - n) \qquad (\text{P.0.7-1})$$

$$c = 0.2W_L - 3.5 \qquad (\text{P.0.7-2})$$

式中:c——土的抗渗凝聚力(kPa);

γ_w——水的容重(kN/m³);

D_0——取 1.0m;

W_L——土的液限含水量(%)。

附录 Q 土的地震液化判别

Q.0.1 饱和无黏性土和少黏性土的地震液化破坏,应根据土层的天然结构、颗粒组成、松密程度、地震前和地震时的受力状态、边界条件和排水条件以及地震历时等因素,结合现场勘察和室内试验综合分析判定。

Q.0.2 土的地震液化判定工作可分为初判和复判两个阶段。初判应排除不会发生液化的土层。对初判可能发生液化的土层,应进行复判。

Q.0.3 土的地震液化初判应符合下列规定:

1 地层年代为第四纪晚更新世 Q_3 或以前时,设计地震烈度小于Ⅸ度时可判为不液化。

2 土的粒径大于 5mm 颗粒含量的质量百分率大于或等于70％时,可判为不液化。

3 对粒径小于 5mm 颗粒含量质量百分率大于 30％的土,其中粒径小于 0.005mm 的颗粒含量质量百分率相应于地震动峰值加速度为 0.10g、0.15g、0.20g、0.30g 和 0.40g 分别不小于 16％、17％、18％、19％和 20％时,可判为不液化。

4 工程正常运行后,地下水位以上的非饱和土,可判为不液化。

5 当土层的剪切波速大于式 Q.0.3-1 计算的上限剪切波速时,可判为不液化。

$$V_{st} = 291 (K_H Z \gamma_d)^{1/2} \qquad (Q.0.3\text{-}1)$$

式中:V_{st}——上限剪切波速度(m/s);

K_H——地面水平地震动峰值加速度系数,为水平地震动峰值加速度与重力加速度 g 之比,地面水平地震动峰值加速度可按现行国家标准《中国地震动参数区划图》GB 18306 查取或采用场地地震危险性分析结果；

Z——土层深度（m）；

γ_d——深度折减系数。

6 深度折减系数可按下列公式计算：

$$Z = 0 \sim 10\mathrm{m}, \gamma_d = 1.0 - 0.01Z \quad (Q.0.3\text{-}2)$$

$$Z = 10\mathrm{m} \sim 20\mathrm{m}, \gamma_d = 1.1 - 0.02Z \quad (Q.0.3\text{-}3)$$

$$Z = 20\mathrm{m} \sim 30\mathrm{m}, \gamma_d = 0.9 - 0.01Z \quad (Q.0.3\text{-}4)$$

Q.0.4 土的地震液化复判应符合下列规定：

1 标准贯入击数法。

1) 符合下式条件的土应判为液化土：

$$N_{63.5} < N_{cr} \quad (Q.0.4\text{-}1)$$

式中：$N_{63.5}$——标准贯入试验贯入点的标准贯入锤击数；

N_{cr}——液化判别标准贯入锤击数临界值。

2) 在地面以下 20m 深度范围内，液化判别标准贯入锤击数临界值 N_{cr} 按下式计算：

$$N_{cr} = N_0 [\ln(0.6d_s + 1.5) - 0.1d_w] \sqrt{\frac{3\%}{\rho_c}} \quad (Q.0.4\text{-}2)$$

式中：N_0——液化判别标准贯入锤击数基准值，在设计地震动加速度为 0.10g、0.15g、0.20g、0.30g、0.40g 时分别取 7、10、12、16、19；

d_s——标准贯入试验贯入点深度（m）；

d_w——地下水埋深（m）；

ρ_c——土的黏粒含量百分率（%），当小于 3 或为砂土时，应采用 3。

3) 水电工程常需要预先对工程运行时的坝基（地基）进行液化判别，若工程正常运行时标准贯入试验贯入点深度和地下水位深度与进行标准贯入试验时的贯入点深度和地下水位深度不同,则进行液化判别时需按公式(Q.0.4-3)对实测标准贯入击数 $N'_{63.5}$ 进行校正,并按校正后的标准贯入击数 $N_{63.5}$ 作为复判依据。

$$N_{63.5} = N'_{63.5} \left(\frac{\sigma_V}{\sigma'_V}\right)^{0.5} \qquad (Q.0.4-3)$$

式中:σ_V——工程正常运行时标准贯入点有效上覆垂直应力(kPa);

σ'_V——进行标准贯入试验时标准贯入点有效上覆垂直应力(kPa)。

σ_V 及 σ'_V 取值均不应小于 35kPa,且不大于 300kPa。

4)式(Q.0.4-3)适用于标准贯入点在地面以下 20m 以内的深度。

5)当标准贯入点的深度在地面以下 5m 以内时,应采用 5m 计算 N_{cr}。

6)测定土的黏粒含量时应采用六偏磷酸钠作为分散剂。

2 相对密度复判法。

当饱和无黏性土,包括砂和粒径大于 2mm 的沙砾的相对密度不大于表 Q.0.4 中的液化临界相对密度时,可判为可能液化土。

表 Q.0.4 饱和无黏性土的液化临界相对密度(%)

设计地震动峰值加速度	0.05g	0.10g	0.20g	0.40g
液化临界相对密度(D_r)$_{cr}$	65	70	75	85

3 相对含水量或液性指数复判法。

1)当饱和少黏性土的相对含水量大于或等于 0.9 时,或液性指数大于或等于 0.75 时,可判为可能液化土。

2)相对含水量应按下式计算:

$$W_U = \frac{W_S}{W_L} \qquad (Q.0.4-4)$$

式中:W_U——相对含水率(%);

W_S——少黏性土的饱和含水率(%);

W_L——少黏性土的液限含水率(%)。

3)液性指数应按下式计算:

$$I_L = \frac{W_S - W_P}{W_L - W_P}$$ (Q.0.4-5)

式中:I_L——液性指数;

W_P——少黏性土的塑限含水量(%)。

附录 R　岩体结构分类

表 R　岩体结构类型

类型	亚类	岩体结构特征
块状结构	整体状结构	岩体完整，呈巨块状，结构面不发育，间距大于 100cm
	块状结构	岩体较完整，呈块状，结构面轻度发育，间距一般 50cm～100cm
	次块状结构	岩体较完整，呈次块状，结构面中等发育，间距一般 30cm～50cm
层状结构	巨厚层状结构	岩体完整，呈巨厚层状，结构面不发育，间距大于 100cm
	厚层状结构	岩体较完整，呈厚层状，结构面轻度发育，间距一般 50cm～100cm
	中厚层状结构	岩体较完整，呈中厚层状，结构面中等发育，间距一般 30cm～50cm
	互层状结构	岩体较完整或完整性差，呈互层状，结构面较发育或发育，间距一般 10cm～30cm
	薄层状结构	岩体完整性差，呈薄层状，结构面发育，间距一般小于 10cm
镶嵌结构	镶嵌结构	岩体完整性差，岩块嵌合紧密—较紧密，结构面较发育到很发育，间距一般 10cm～30cm
碎裂结构	块裂结构	岩体完整性差，岩块间有岩屑和泥质物充填，嵌合中等紧密—较松弛，结构面较发育到很发育，间距一般 10cm～30cm
	碎裂结构	岩体较破碎，岩块间有岩屑和泥质物充填，嵌合较松弛—松弛，结构面很发育，间距一般小于 10cm
散体结构	碎块状结构	岩体破碎，岩块夹岩屑或泥质物，嵌合松弛
	碎屑状结构	岩体极破碎，岩屑或泥质物夹岩块，嵌合松弛

附录 S 坝基岩体工程地质分类

表 S 坝基岩体工程地质分类

岩体基本质量	A 坚硬岩($R_b>60MPa$)		B 中硬岩($R_b=60MPa\sim30MPa$)		C 软质岩($R_b<30MPa$)	
	岩体特征	岩体工程性质评价	岩体特征	岩体工程性质评价	岩体特征	岩体工程性质评价
Ⅰ	Ⅰ$_A$：岩体呈整体状或块状、巨厚层状、厚层状结构，结构面不发育~轻度发育，多闭合，延展性差；属优良各向同性力学特征	岩体完整，强度高、抗滑，抗变形性能强，不需作专门性地基处理；属优良混凝土坝地基	—	—	—	—
Ⅱ	Ⅱ$_A$：岩体呈块状或次块状、厚层状结构，结构面中等发育，软弱结构面不存在影响坝基或顺稳定的楔体或棱体	岩体较完整，强度高、软弱结构面不控制岩体稳定，抗滑抗变形性能较高，专门性地基处理工作量不大，属良好混凝土坝地	Ⅱ$_B$：岩体结构特征同Ⅱ$_A$，具各向同性力学特性	岩体完整，强度较高、抗滑，抗变形性能较强，专门性地基处理工作量不大，属良好混凝土坝地基	—	—

续表 S

岩体基本质量	A 坚硬岩（R_b＞60MPa）		B 中硬岩（R_b=60MPa～30MPa）		C 软质岩（R_b＜30MPa）	
	岩体特征	岩体工程性质评价	岩体特征	岩体工程性质评价	岩体特征	岩体工程性质评价
Ⅲ	Ⅲ₁A：岩体呈块状或中厚层状结构,结构面中等发育,岩体中分布有缓倾角或陡倾（顺肩）的软弱结构面或存在影响坝基或坝肩稳定的楔体或棱体	岩体较完整,局部完整性差,强度高,抗滑、抗变形性能在一定程度上受结构面控制;对影响岩体变形和稳定性的结构面应做专门处理	Ⅲ₁B：岩体结构特征基本同Ⅱ_A	岩体较完整,有一定强度,抗滑、抗变形性能在一定程度上受结构面和岩石强度控制	Ⅲc：岩石强度大于15MPa,岩体呈块体状或巨厚层状结构,结构面不发育,结构面中等发育,岩体具各向同性力学特性	岩体完整,抗滑、抗变形性能受岩石强度控制
	Ⅲ₂A：岩体呈互层状或镶嵌碎裂结构,结构面发育,但贯穿性结构面不多见,结构面延展性较差,多闭合,岩块间嵌合力较好	岩体完整性差,强度仍较高,抗滑、抗变形性能受结构面和岩块间嵌合能力以及结构面抗剪强度控制,对结构面应做专门性处理	Ⅲ₂B：岩体呈次块状或中厚层状结构,结构面中等发育,多闭合,岩块间嵌合好,贯穿性结构面多见	岩体较完整,局部完整性差,抗滑、抗变形性能在一定程度上受结构面和岩石强度控制		

续表 S

岩体基本质量	A 坚硬岩(R_b>60MPa)		B 中硬岩(R_b=60MPa~30MPa)		C 软质岩(R_b<30MPa)	
	岩体特征	岩体工程地质评价	岩体特征	岩体工程地质评价	岩体特征	岩体工程地质评价
IV	IV$_{1A}$：岩体呈层状互层状或块状结构，结构面明显发育，结构面较发育一发育，明显发育，在不利于坝基及坝肩稳定的软弱结构面或楔体	岩体完整性差，抗滑变形性能明显受结构面和岩块间嵌合能力控制。能否作为高混凝土坝地基，视处理效果而定	IV$_{1B}$：岩体呈薄层状或块状结构，存在不利于坝基（肩）稳定的软弱结构面、楔体或棱体	岩体完整性差，抗滑变形性能明显受结构面和岩块间嵌合能力控制。能否作为高混凝土坝地基，视处理效果而定	IV$_C$：岩石强度大于15MPa，结构面小于15MPa结构面中等发育	岩体较完整，强度低，抗滑、抗变形性能差，不宜作为高混凝土坝地基。当存在该类岩体，需作专门性处理
	IV$_{2A}$：岩体呈碎裂结构，结构面很发育，且多张开，夹泥，岩块间嵌合力弱	岩体较破碎，抗滑、抗变形性能差，不宜作高混凝土坝地基。当局部存在该类岩体，需作专门性处理	IV$_{2B}$：岩体呈裂隙块状或碎裂状结构，结构面发育一很发育，多张开，岩块间嵌合力差	岩体较破碎，抗滑、抗变形性能差，不宜作高混凝土坝地基。当局部存在该类岩体，需作专门性处理	V$_C$：岩体呈散体状结构，由岩块组成，夹泥或泥包岩块组成，松散连续介质特征	岩体破碎，不能作为高混凝土坝地基；当坝基局部地段分布该类岩体，需作专门性处理
V	V$_A$：岩体呈散体状结构，由岩块夹泥或泥包岩块组成，具松散连续介质特征	岩体破碎，不能作高混凝土坝地基；当坝基局部地段分布该类岩体，需作专门性处理	V$_B$：岩体呈散体状结构，由岩块夹泥或泥包岩块组成，具松散连续介质特征	岩体破碎，不能作高混凝土坝地基；当坝基局部地段分布该类岩体，需作专门性处理		

注：本分类适用于高度大于70m的混凝土坝。R_b为岩石饱和单轴抗压强度。

附录 T 岩体地应力和高地应力条件下岩体破坏类型及判别

T.0.1 岩体地应力的确定应符合下列规定：

1 在无实测地应力成果时，根据地质勘察资料，利用理论计算和经验对初始地应力场做出评估：

1) 在构造应力等因素影响不显著的地区，一般情况下，初始应力的垂直向应力为自重应力 γ_H，水平向应力不小于 $\gamma_H \times \mu/(1-\mu)$。

2) 通过对区域历次构造形迹的调查和对近期构造运动的分析，确定初始地应力的最大主应力方向。

历次发生的地质构造运动，常影响并改变自重地应力场。一般情况下，垂直向主应力和最大水平向主应力可按表 T.0.1 取值。

表 T.0.1 受构造应力影响较大地区的主应力

埋深 主应力	<1000m	≥1000m
垂直向主应力 σ_V	$(0.8{\sim}3)\gamma_H$	$(0.8{\sim}1.2)\gamma_H$
最大水平向主应力 σ_H	$(0.8{\sim}3)\sigma_V$	$(0.7{\sim}2)\sigma_V$

3) 最大水平向主应力 σ_H 埋深大于 1000m，随着深度增加，初始地应力场逐渐趋向于静水压力分布，埋深大于 1500m 以后，一般可按静水压力分布考虑。

4) 在峡谷地段，从谷坡至山体以内，可区分为地应力释放区、地应力集中区和原始地应力区。峡谷的影响范围，在水平方向一般为谷宽的 1 倍～3 倍。河谷快速下切的地区,一般应力释放区的影响范围较小,反之,则应力释放区的影响范围变大;谷坡位置越高,地应力释放区的影响范围越大。对两岸山体,最大主应力方向一般平行于岸坡。在河谷谷底较深部位,最大主应力方向趋于水平且转向垂直于河谷。

5)发生岩爆或岩芯饼化现象,应视为存在高地应力,此时,可根据岩体在开挖过程中出现的主要现象,按表 T.0.2 进行评价。

2 有实测地应力成果时,直接利用实测值。根据需要,通过回归分析确定初始地应力场。

T.0.2 岩体初始地应力的分级应符合表 T.0.2 的规定。

表 T.0.2 岩体初始地应力的分级

应力分级	最大主应力量级 σ_m(MPa)	R_b/σ_m	主 要 现 象
极高地应力	$\sigma_m \geqslant 40$	<2	硬质岩:开挖过程中时有岩爆发生,有岩块弹出,洞壁岩体发生剥离,新生裂缝多;基坑有剥离现象,成形性差;钻孔岩芯多有饼化现象
			软质岩:钻孔岩芯有饼化现象,开挖过程中洞壁岩体有剥离,位移极为显著,甚至发生大位移,持续时间长,不易成洞;基坑岩体发生卸荷回弹,出现显著隆起或剥离,不易成形
高地应力	$20 \leqslant \sigma_m < 40$	2~4	硬质岩:开挖过程中可能出现岩爆,洞壁岩体有剥离和掉块现象,新生裂缝较多;基坑时有剥离现象,成形性一般尚好;钻孔岩芯时有饼化现象
			软质岩:钻孔岩芯有饼化现象,开挖过程中洞壁岩体位移显著,持续时间较长,成洞性差;基坑发生有隆起现象,成形性较差

续表 T.0.2

应力分级	最大主应力量级 σ_m(MPa)	R_b/σ_m	主 要 现 象
中等地应力	$10 \leqslant \sigma_m < 20$	$4 \sim 7$	硬质岩:开挖过程洞壁岩体局部有剥离和掉块现象,成洞性尚好;基坑局部有剥离现象,成形性尚好 软质岩:开挖过程中洞壁岩体局部有位移,成洞性尚好;基坑局部有隆起现象,成形性一般尚好
低地应力	$\sigma_m < 10$	>7	无上述应力变形破坏现象

注:表中 R_b 表示岩石饱和单轴抗压强度(MPa),σ_m 表示最大主应力(MPa)。

T.0.3 高地应力条件下岩体的变形破坏分类及判别应符合表 T.0.3 的规定。

表 T.0.3 高地应力条件下岩体的变形破坏分类及判别

岩体高地应力破坏类型		主 要 现 象
类型	亚类	
岩爆	强度应力型岩爆	完整、坚硬、脆性的岩体内积蓄的应变能超过岩体承受能力以后发生的剧烈破坏,往往伴随声响和震动,剖面形态往往呈 V 字形
	构造型岩爆 — 构造尖端型岩爆	沿构造端部的应力集中区域受开挖扰动而产生的能量释放破坏形式,往往伴随声响和震动
	构造型岩爆 — 构造应变型岩爆	沿构造面积聚的能量突然释放所产生的围岩破坏,岩爆源位于构造面附近,往往伴随声响和震动,岩爆坑具有应变型岩爆的特点
	构造型岩爆 — 构造滑移型岩爆	构造面上的法向应力被解除,硬性起伏的构造面以滑动的形式释放能量,往往伴随声响和震动,破坏程度大

岩体高地应力破坏类型		主 要 现 象
类型	亚类	
松弛破坏	强度应力型松弛破坏	洞室围岩产生不受结构面控制的开裂松弛变形、压裂、坍塌破坏。松弛破坏的程度、深度与洞室跨度、施工方法有关,洞室跨度越大,松弛深度越大
	构造型松弛破坏	洞室围岩沿结构面产生的松弛破坏,其松弛程度、深度受结构面控制。诱发构造型松弛破坏的构造往往规模不大,但结构面在卸荷条件下更容易形成较大的应力差,因此也具备更大的破坏力
塑性变形	强度-应力控制型	软质岩围岩整体性较好,洞壁围岩发生位移内鼓、塑性挤出、大变形;基坑有隆起或剥离现象。该类变形受岩石强度和应力大小控制
	混合型	软质岩围岩构造较发育,洞壁围岩发生剪切位移、挤出和溃屈破坏;基坑有隆起或剥离现象,不易成形。该类变形受岩石强度、应力大小和构造控制

T.0.4 岩爆的判别应符合下列规定:

1 岩爆烈度分级应符合表 T.0.4 的规定。

表 T.0.4 岩爆烈度分级

岩爆分级	主 要 现 象	岩 爆 判 别	
		临界埋深(m)	R_b/σ_m
轻微岩爆	围岩表层有爆裂脱落、剥离现象,内部有噼啪、撕裂声,人耳偶然可听到,无弹射现象;主要表现为洞顶的劈裂—松脱破坏和侧壁的劈裂—松胀、隆起等。岩爆零星间断发生,影响深度小于0.5m;对施工影响较小	$H \geqslant H_{cr}$	$4 \sim 7$

岩爆分级	主 要 现 象	岩 爆 判 别	
		临界埋深(m)	R_b/σ_m
中等岩爆	围岩爆裂脱落、剥离现象较严重,有少量弹射,破坏范围明显。有似雷管爆破的清脆爆裂声,人耳常可听到围岩内的岩石的撕裂声;有一定持续时间,影响深度 0.5m～1.0m;对施工有一定影响	$H \geqslant H_{cr}$	2～4
强烈岩爆	围岩大片爆裂脱落,出现强烈弹射,发生岩块的抛射及岩粉喷射现象;有似爆破的爆裂声,声响强烈;持续时间长,并向围岩深度发展,破坏范围和块度大,影响深度 1m～3m;对施工影响大		1～2
极强岩爆	围岩大片严重爆裂,大块岩片出现剧烈弹射,震动强烈,有似炮弹、闷雷声,声响剧烈;迅速向围岩深部发展,破坏范围和块度大,影响深度大于3m;严重影响工程施工		<1

注:表中 H 为地下洞室埋深(m)。

2 临界埋深可根据下式计算:

$$H_{cr} = 318R_b(1-\mu)/(3-4\mu)\gamma \qquad (T.0.4)$$

式中:H_{cr}——临界埋深,即发生岩爆的最小埋深(m);

R_b——岩石饱和单轴抗压强度(MPa);

μ——岩石泊松比;

γ——岩石重度(kN/m^3)。

3 表 T. 0. 4 的岩爆判别适用于完整—较完整的中硬、坚硬岩体且无地下水活动的地段。

附录 U 外水压力折减系数经验取值

表 U 外水压力折减系数经验取值

级别	地下水活动状态	地下水对围岩稳定的影响	折减系数
1	洞壁干燥或潮湿	无影响	0~0.20
2	沿结构面有渗水或滴水	软化结构面的充填物质,降低结构面的抗剪强度,软化软弱岩体	0.10~0.40
3	严重滴水,沿软弱结构面有大量滴水、线状流水或喷水	泥化软弱结构面的充填物质,降低其抗剪强度,对中硬岩体发生软化作用	0.25~0.60
4	严重滴水,沿软弱结构面有小量涌水	地下水冲刷结构面中的充填物质,加速岩体风化,对断层等软弱带软化泥化,并使其膨胀崩解及产生机械管涌。有渗透压力,能鼓开较薄的软弱层	0.40~0.80
5	严重股状流水,断层等软弱带有大量涌水	地下水冲刷带出结构面中的充填物质,分离岩体,有渗透压力,能鼓开一定厚度的断层等软弱带,并导致围岩塌方	0.65~1.00

注:1 外水压力折减系数的取值宜结合采用的排水措施按本表选用。
  2 当岩溶暗河、洞穴与地表水连通良好时,折减系数取 1。

本规范用词说明

1　为便于在执行本规范条文时区别对待，对要求严格程度不同的用词说明如下：

　　1)表示很严格，非这样做不可的：

　　　　正面词采用"必须"，反面词采用"严禁"；

　　2)表示严格，在正常情况下均应这样做的：

　　　　正面词采用"应"，反面词采用"不应"或"不得"；

　　3)表示允许稍有选择，在条件许可时首先应这样做的：

　　　　正面词采用"宜"，反面词采用"不宜"；

　　4)表示有选择，在一定条件下可以这样做的，采用"可"。

2　条文中指明应按其他有关标准执行的写法为："应符合……的规定"或"应按……执行"。

引用标准名录

《中国地震动参数区划图》GB 18306
《湿陷性黄土地区建筑规范》GB 50025
《工程岩体试验方法标准》GB/T 50266
《水电水利工程物探规程》DL/T 5010
《水电水利工程钻探规程》DL/T 5013
《水电工程可行性研究报告编制规程》DL/T 5020
《水电水利工程坑探规程》DL/T 5050
《水电水利工程地质测绘规程》DL/T 5185
《水电工程预可行性研究报告编制规程》DL/T 5206
《水电工程招标设计报告编制规程》DL/T 5212
《水电水利工程土工试验规程》DL/T 5355
《水电水利工程岩石试验规程》DL/T 5368
《水电水利工程天然建筑材料勘察规程》DL/T 5388
《活动断层探测》DB/T 15
《城乡规划工程地质勘察规范》CJJ 57

中华人民共和国国家标准

水力发电工程地质勘察规范

GB 50287 - 2016

条 文 说 明

修 订 说 明

《水力发电工程地质勘察规范》GB 50287—2016 经住房城乡建设部 2016 年 8 月 18 日以第 1279 号公告批准发布。

本规范是在《水力发电工程地质勘察规范》GB 50287—2006 的基础上修订而成,上一版的主编单位是水电水利规划设计总院,参编单位是中国水电顾问集团北京勘测设计研究院、中国水电顾问集团华东勘测设计研究院、中国水电顾问集团中南勘测设计研究院、中国水电顾问集团成都勘测设计研究院、中国水电顾问集团贵阳勘测设计研究院、中国水电顾问集团昆明勘测设计研究院、中国水电顾问集团西北勘测设计研究院,主要起草人员是:王惠明、彭土标、李文纲、袁建新、王文远、万宗礼、杨益才、单治钢、米应中、胡大可、邵宗平、王自高、谢树庸、邱永葆、邹文志、王志硕。

编制组在本规范修订过程中,充分吸收了近年来我国水电工程地质勘察工作的成熟经验,重点修改的部分编制了专题论证报告,如岩土体参数取值的合理性分析——岩基抗剪断强度参数统计特性研究,砂土地震液化判别研究,岩体及结构面力学参数取值方法研究等,与正在实施和正在修订的国家标准进行了协调,并在全国范围内广泛征求了有关设计、勘察、科研、教学单位等的意见,经反复讨论修改,最后经审查定稿。

本次修订后共 9 章 19 个附录,基本保持了 2006 年版规范的适用范围、总体框架和主要内容,局部内容做了修改、补充和完善。主要修订的内容有:根据"5.12"汶川地震后国家对水电工程抗震设防的要求,重新规定了地震安全性评价的要求;增加了可行性研究阶段水库影响区界定、建筑物周边自然边坡的勘察评价、泥石流勘察评价、料场边坡稳定性评价、渣场和营地的勘察等内容;调整了各阶段水库移民工程勘察工作的内容和要求;减少了强制性条文的数量;增加了附录 E 移民集中安置点场地稳定性和适宜性分类以及附录 M 泥石流的分类;增加了附录 G 中碳酸盐岩风化的划分标准、附录 J 中建筑物周边自然边坡的稳定性分类评价、附录 P 中黏性土临界比降的判别方法;修改了附录 D 岩土体力学参数的取值方法、附录 K 中环境水腐蚀性评价的判别标准;改进了附录 Q 砂土地震液化的判别公式;修改了附录 T 的名称及高地应力条件下岩体的变形破坏分类和判别内容。删除了附录 D 中"坝基岩体允许承载力经验值"表等内容。

为便于广大勘察、设计、施工、科研、学校等单位有关人员在使用本规范时能正确理解和执行条文规定,《水力发电工程地质勘察规范》编写组按章、节、条顺序编制了本规范的条文说明,对条文规定的目的、依据、修订理由以及执行中需注意的有关事项进行了说明,还着重对强制性条文的强制性理由做了解释。但是,本条文说明不具备与规范正文同等的法律效力,仅供使用者作为理解和把握规范规定的参考。

目　次

1 总 则

1.0.1 根据原电力工业部电计(1993)576号文《关于调整水电工程设计阶段的通知》划分为五个阶段,即河流(段)规划、预可行性研究、可行性研究、招标设计和施工详图设计。本规范对上述各阶段的地质勘察工作深度和内容及勘察工作方法和布置等做了规定。

1.0.2 本规范主要适用于大型水力发电工程,中型水电工程可参照本规范执行。根据现行行业标准《水电枢纽工程等级划分及设计安全标准》DL 5180的规定,水电枢纽工程划分为五个等级。详见表1。

表1 水电枢纽工程的分等指标

工程等别	工程规模	水库总库容 (亿 m³)	装机容量 (MW)
一	大(1)型	≥10	≥1200
二	大(2)型	<10 ≥1	<1200 ≥300
三	中型	<1 ≥0.1	<300 ≥50
四	小(1)型	<0.1 ≥0.01	<50 ≥10
五	小(2)型	<0.01	<10

3 基 本 规 定

3.0.1 水电工程地质勘察划分为五个阶段是根据原电力工业部电计(1993)567号文《关于调整水电工程设计阶段的通知》确定的。《通知》中规定水电工程设计阶段调整为流域规划和河流(或河段)水电规划阶段、预可行性研究阶段、可行性研究阶段、招标设计阶段和施工详图设计阶段。工程地质勘察的主要任务是为规划设计服务,提供规划设计所需的工程地质勘察资料,因此,工程地质勘察工作既要循序渐进,逐步深入,又要与相应设计阶段深度相适应。

3.0.2 勘察任务书或勘察合同是实施工程地质勘察工作及检验工程地质勘察工作完成情况的主要依据,因此,凡涉及与工程地质勘察工作有关的内容应明确说明与规定。工程地质勘察的内容和工作方法除与地质条件有关外,还与水工建筑物类型、规模密切相关,因此,在任务书和合同中明确设计意图、工程规模、类型和工程布置是组织实施经济有效的工程地质勘察工作的前提条件。

3.0.3、3.0.4 工程地质勘察大纲是工程地质勘察工作的指导文件,也是实施工程地质勘察工作的具体计划和保证工程地质勘察工作质量的重要措施。编制工程地质勘察大纲之前应做的工作包括:收集和分析工程场区已有的地质资料与该工程前阶段的勘察成果和主要结论;详细了解设计意图和方案;实地了解工程场区的自然条件和工作条件;熟悉本规范的基本要求和内容。

随着地质勘察工作的深入,可能会发现和揭露新的地质问题,适时调整勘察工作的布置和工作量,将会使勘察工作的针对性更强,更符合客观实际,有助于提高工程地质勘察的效果。

为保证工程地质勘察工作顺利进行,工程地质勘察大纲的内容除技术内容外,还应包括组织措施、质量保证措施和生产安全保障措施等。

目前,各设计单位大多开展了"质量、环境、职业健康安全"管理体系认证,以确保产品质量,提高勘察设计产品在国内外市场的竞争力。因此,本次修订时,在大纲中增加了"环境、职业健康安全"的内容,以使地质勘察工作能适应国内外对环境和职业健康安全的要求。

3.0.5 大型水电工程水库及装机容量规模巨大,其失事将严重危及人民生命财产和国家经济建设,因此,水电工程建设前必须开展地质勘察工作,并保证一定的勘察工作量和勘察周期,以利于水电工程的本质安全。

勘察工作量是指工程地质测绘、物探、坑探、钻探、洞探、井探、水文地质试验、岩土试验等的工作量。水电工程地质勘察是揭露自然奥秘,研究地质规律,预测地质环境对水电建设影响的探索性很强的工作。自然地质体经历过漫长的地质演变,经受过不同时期和不同性质的构造作用和风化作用,是十分复杂的,要对其有深刻的了解和认识,必须有一定的勘察工作,特别要有一定的钻探、洞探和井探工作量,了解地下地质情况。必要的勘察工作量是指为满足阶段勘察深度的要求所需的勘察工作量。如果勘察工作量不够,将影响勘察成果的质量。

勘察周期指完成一个工程全部勘察工作的年限,也可以是完成一个工程某一勘察阶段全部勘察工作的年限。全部勘察工作包括从接受勘察任务到提交工程地质勘察报告之间的工作。根据多年的实践经验,一个坝高100m~150m,工程地质条件中等复杂的工程,可行性研究勘察阶段的勘察年限为2.0年~2.5年。

3.0.6 科学的勘察程序是指工程地质勘察工作按照由区域到场区,由地表到地下,由一般性调查到专门性问题研究,由定性到定量的过程。具体地说,先地面或区域大范围地质工作,后工程场区小范围工作;先收集资料和地面地质测绘,然后再据此布置勘探工程;先一般性地质问题调查,后专门性工程地质问题研究;先对工程地质问题进行定性评价后进行定量评价。这种由浅入深、循序渐进的工作,可以加快勘察工作进度,缩短勘察周期,可以有针对性地开展勘察工作,提高勘察成果质量,可以提高勘察工作的有效性,节省勘察经费。

3.0.7 基础地质资料是指地质测绘、物探、钻探、坑探、洞探、井探、水文地质试验、岩土试验、原位观测等资料。只有通过各种勘察方法真实准确、完整地收集有关地形、地貌、地层、岩性、构造、水文地质、物理地质现象等情况,才能发现工程地质问题,为分析和解释各种地质现象提供原始资料,为正确评价工程地质问题提供可靠依据,否则会导致分析评价的失误。

3.0.8 工程地质测绘是水电工程地质勘察的最基本方法,通过工程地质测绘可以了解和发现许多地质现象,可以为分析工程场区的基本地质条件和可能存在的工程地质问题及其评价提供基本资料,可为物探、钻探、坑探、洞探、井探、岩土试验和专门性勘察工作提供依据。没有工程地质测绘资料作基础,仓促布置各种勘探工程,必然有很大的盲目性,其结果可能达不到预计的目的,甚至会造成浪费。

3.0.9 物探是水电工程地质勘察的重要手段之一,它具有快速轻便、信息量大的特点。但每一种物探方法的应用均存在局限性、条件性和多解性,因此,在应用物探技术时,需要充分发挥综合物探的作用,以便通过多种物探方法成果综合分析,克服单一方法的局限性,并消除推断解译中的多解性,另外,在物探成果的解译过程中要充分利用已有的地质和钻探资料,以提高物探的解译精度。

3.0.10 孔、坑、洞、井等勘探工程不仅能直接取得地下地质的真实资料,还可为物探综合测井、水文地质试验、岩土试验和原位观测等提供条件,是水电工程地质勘察的重要手段。在选择和布置勘探工程时,要注意三点:一是要根据地形条件及地质条件和水工建筑物的特点,选择适宜的勘探工程;二是要综合利用、达到一孔

(洞)多用和各种勘探工程联合起来综合利用的目的;三是要有详细且可供操作的施工技术计划,包括与施工安全和成果质量有关的内容。

3.0.11 岩土试验的任务是了解岩土体的基本物理力学性质,研究岩土体在外部荷载与内部应力重分布条件下的变形过程和破坏机制,为工程地质评价提出基本资料,为设计提供岩土物理力学性质参数,因此,应提高岩土试验成果的准确性和合理性。由于岩体是一种各向异性的非均质材料,室内岩块试验不能全面反映其力学特性,因此,本条规定岩石试验应室内试验和原位测试并重。

不同类型的水工建筑物对岩土体的力学特性要求不同,例如:重力坝(闸)要求坝(闸)基岩土体有较高的抗滑稳定性;对拱坝,则要求两岸坝肩岩体均一、变形小、有较高的弹性(变形)模量,拱座下游岩体有足够的抗滑能力;地下洞室围岩的稳定性,实质是围岩应力与围岩强度的对立统一。因此,应针对设计的需要和水工建筑物类型,具体分析工程作用力大小、方向、性质、影响范围,并依据岩土体的结构特征,选择试验项目、数量和有效的试验方法。

由于组成水工建筑物地基、围岩、边坡的岩土体是不均一的,试件的尺寸和地基的面积相比是微小的,试验的数量又是有限的,因此,要提高室内试验试样和原位测试试点的地质代表性。

3.0.12 原位观测主要包括岩土体位移、应变、压力观测和地下水水位、水量、水温、水质观测。

通过岩土体位移、应变、压力观测可以了解其位移速率、位移范围、位移量等与地质条件及外部条件的关系,为预测岩土体位移的发展趋势和评价岩土体稳定性提供依据,是工程地质勘察工作的重要组成部分。

通过地下水水位、水量、水温、水质的观测,可以了解地下水的动态变化规律,为分析工程场区水文地质条件提供资料。

3.0.13 各种勘察资料仅是从某一方面揭露的局部地质现象,但这些现象相互之间是有联系的,因此,应对各种勘察资料进行综合分析。在实际工作中,常常发现勘察工作做得并不少,但对与水工设计密切相关的工程地质问题分析不够深入,针对性不强,结论不够明确,其原因就是未能对各种勘察资料,通过由表及里、由局部到整体的深入分析,找出事物的发生和发展过程及其相互关系,并抓住影响水工建筑物安全的主要工程地质问题,从有利和不利的角度分析其对工程的影响。因此,本条规定应紧密结合水工建筑物的特点,综合分析各种勘察资料和工程地质问题。

3.0.14 工程地质勘察报告是工程地质勘察成果的最终体现,是规划设计的主要依据之一,是研究水工建筑物布置和加固处理措施的基本资料。内容客观、真实、重点突出、实用性强,是工程地质勘察报告的基本要求。

4 规划阶段工程地质勘察

4.1 一般规定

4.1.1、4.1.2 规划阶段是设计的开始阶段,其工程地质勘察的目的和任务是了解河流或河段的区域地质条件和各梯级的工程地质条件,以便选出坝、长引水线路及厂址的最适宜地段,并对建库条件进行了解。在各梯级中对近期开发工程和控制性工程的工程地质条件做较深入的了解,分析存在的主要地质问题,为工程规划设计提供较系统的资料。

4.2 区域地质和地震

4.2.1 区域地质研究内容主要包括 5 个方面,即地形地貌、地层岩性、地质构造、物理地质现象和水文地质条件。这些资料是分析河谷工程地质条件的基础。

本条中各款只列举了主要内容,详细内容可根据规划河流或河段的具体区域地质特征有所侧重。例如,在可溶岩地区,重点应放在岩溶发育情况和水文地质条件上,调查潜水的埋深,泉水的出露高程、类型及流量等;在地震活动性较强地区,要特别注意地质构造和断裂活动的情况;在第四纪沉积地区,要重点了解第四纪沉积物的类型、河流发育史和阶地发育情况等。

4.2.2 目前,国内大部分地区已完成了 1:200000 区域地质测图,少数地区已完成 1:50000 区域地质测图。大多数省(区、市)已出版了区域地质志。不少地区还进行过区域工程地质编图、环境地质编图和灾害地质编图。这些资料都是进行河流区域地质研究的基础资料。但是这些图出版年代不一,物理地质现象和水文地质的最新资料不足,不完全能满足规划阶段的需要。因此,本条规定河流或河段区域综合地质图的编图应以已有资料为基础,缺什么资料,补充什么资料;补充调查方法可采用遥感地质方法和路线地质调查方法。

4.2.4 根据现行行业标准《水工建筑物抗震设计规范》DL 5073,工程选址时应依据场地岩土条件、地震及断裂活动性、重大物理地质现象进行地段划分,原则是选择有利地段或一般地段,避开不利地段,未经充分论证不得在危险地段建设。

根据正在修订的行业标准《水电水利工程区域构造稳定性勘察技术规程》DL/T 5335 和《水工建筑物抗震设计规范》DL 5073、《水电工程防震抗震设计规范》NB 35057—2015,地段按四类划分,增加了一般地段,本条据此做了修改。

4.2.5 区域综合地质图的比例尺可根据流域面积的大小和区域地质的复杂程度在 1∶500000∼1∶100000 之间选择。

4.3 水　　库

4.3.1 水库地质的勘察内容主要是了解对水库或梯级选择有重大影响的工程地质问题。大规模的坍塌、泥石流、滑坡等物理地质现象以及严重的塌岸,库区渗漏或库边浸没,常常影响水库效益,可溶岩地区的岩溶水库渗漏,更是影响梯级方案成立的重大地质问题。这些问题在本阶段都需要进行初步调查,阐明其严重程度,以便选择最适宜的梯级开发方案。

4.3.2、4.3.3 水库勘察方法基本上分两种情况:

(1)根据已有的区域地质资料分析水库地质条件,如不存在严重影响水库成立的地质问题,本阶段可以不进行水库工程地质测绘,但对近坝 5km 范围内进行路线查勘和调查仍是必要的。

(2)根据已有的区域地质资料分析,水库可能存在渗漏、库岸稳定等工程地质问题时,应进行水库工程地质测绘。为了查明这些问题的严重程度,也可布置少量的勘探工作。勘探工作量根据具体情况确定。

工程地质测绘是水库勘察的主要方法。测绘比例尺的选择可以根据水库面积和地质条件复杂程度等因素综合考虑选定。

4.4 坝　　址

4.4.1、4.4.2　规划阶段对各梯级坝址地质勘察的内容偏重于基本地质条件的了解。条文所列各款内容,包括地形地貌、地层岩性、地质构造、水文地质、河床及两岸覆盖层厚度和组成物质、塌滑体、岩溶洞穴及天然建筑材料分布情况等都是选择坝址所需要的基础地质资料。

4.4.3　规划阶段坝址的勘察方法主要采用工程地质测绘和物探,辅以少量勘探。

工程地质测绘是最基本的方法。应当根据坝址区地形的陡缓、地质构造的复杂程度及坝址区面积的大小等因素,综合考虑,选定合适的比例尺。

近年来物探技术发展很快,准确性也有很大提高。使用物探方法探测河床覆盖层厚度、岸坡风化深度、较大的断层和溶洞等地质缺陷可取得有效的成果。因此,规划阶段特别推荐用物探方法来了解地下地质情况。

本阶段坝址钻探工作量一般较少,所以对近期开发工程和控制性工程与一般梯级坝址的钻孔布置应区别对待。条文中规定的一般梯级坝址和近期开发工程、控制性工程坝址的钻孔数量是最低要求,地质条件复杂时可以适当增加。

钻孔深度的确定受很多具体因素的影响,如坝高、河床冲积层厚度,两岸风化深度,基岩的完整性和透水性等。各地情况千差万别,本阶段不确定因素较多,难以具体规定,执行中可结合实际情况灵活掌握,如中、低坝可按 1.0 倍坝高控制,但对大于 200m 的高坝可按坝高的 50% 控制。

坝址区岩、土、水的试验数量未作具体规定。可根据实际情况对不易定名的岩石,特殊土的不良性质,以及地下水进行少量试验,以鉴定其名称或有害性。近期开发工程和控制性工程也可以选用回弹、点荷载等简易野外试验方法测定岩石的强度特征。

4.5　长引水线路

4.5.1　长引水线路通常指引水式水电工程。长引水工程可能是隧洞,也可能是渠道,或二者相间衔接。

　　长引水线路方案的比较,需要充分了解沿线的主要工程地质、水文地质条件,以便进行技术经济比较,选出经济合理、安全可靠的开发形式。

　　长引水线路的勘察内容本条共列出 6 款,都是分析隧道或渠道稳定和渗漏问题的基本地质资料,其中对隧洞的进出口地段、渠道上的建筑物地段和厂址地段给予了特别注意。

4.5.2　长引水线路的勘察方法主要是工程地质测绘。根据国内现有地形图的情况和设计使用的需要,测绘比例尺定为 1∶50000～1∶10000,测绘范围的宽度定为引水线两侧各 1km。近年来国内外已应用地震勘探方法进行隧洞沿线剖面波速测定,在地形条件适宜的地方,也可以采用地震法作为辅助勘察方法。

　　线路上的厂址和穿越冲沟、深厚覆盖层分布等特殊地段的引水线路,可以采用物探方法或布置少量的钻孔来了解覆盖层的厚度及性状等。

4.6　勘　察　报　告

4.6.1～4.6.7　对规划阶段工程地质勘察报告的基本内容和附件做了简要规定,其目的在于使勘察成果能够系统地反映出来。要点是基本地质条件的描述和初步分析。

5 预可行性研究阶段工程地质勘察

5.1 一般规定

5.1.1 预可行性研究阶段的任务是根据新的水电工程设计阶段划分的要求制定的。本阶段要求进行区域构造稳定性研究,初步查明水库区及枢纽建筑物区的工程地质条件,对重大工程地质问题进行初步分析评价,以便满足初选代表性坝(闸)址、厂址和枢纽布置方案的需要。

5.1.2 本条主要根据本规范第 5.1.1 条的要求提出。

    1 区域构造稳定性研究是一项基础工作,也是决定工程是否可行的关键性问题,因此,需在本阶段有明确的结论。

    2 水库的主要工程地质问题,关系到建库的可能性、工程及公共安全、工程效益,有的尚涉及环境评价问题。

    3 枢纽建筑区主要工程地质条件和重大工程地质问题是直接关系到坝(闸)址、基本坝型和枢纽布置方案选择的根本性问题。所有这些问题都应在预可行性研究阶段做出初步评价。

    4 天然建筑材料也是水电工程地质勘察中的一个重要问题,有时可对方案的选择起到制约作用,对于代表性方案,其主要天然建筑材料应基本落实。

    5 本次修订新增的内容,明确了本阶段移民集中安置点的工程地质勘察内容。

5.2 区域构造稳定性

5.2.1 区域构造背景研究是评价所有工程地质问题的基础工作,也是地震安全性评价中潜在震源区划分的基本依据之一。

    断层活动性问题是评价坝址和其他建筑物场地构造稳定性以

及进行地震安全性评价的主要依据。所以本阶段应对场址和近场区的活动性断层做出鉴定。地震安全性评价是工程抗震设计的重要依据,在本阶段必须确定工程区的地震动参数及相应的地震基本烈度。

5.2.2 区域构造背景研究是分层次进行的,各层次的工作深度不尽相同。第一层次是区域构造的背景分析,其范围在150km的半径以上,主要以收集资料为主,并对其进行必要的复核;第二层次是近场区构造的活动性调查与研究;第三层次是场址范围内活动性断层的判定,以保证坝址避开有可能直接破坏大坝的活动性断层。

5.2.3 断层活动性的时间下限是争议较多的一个问题,有第四纪以来有活动的断层,70万年以来的、50万年以来的、10万年以来的、1万年以来的等各种时限。原规范确定的时限为10万年~15万年,是根据当时我国第四纪构造运动、地应力场变迁和地质年龄测定等研究成果确定的,但由于年限跨度较大,且未规定上、下限使用的条件,因此,实际应用过程中有时会产生歧义。1992年,国家核安全局与原国家地震局联合举办了能动断层专题研讨会,认为"目前对我国东部地区,可以把一条断层 Q_3 或约10万年以来没有发生过运动迹象,并证明另一条已知能动断层的运动不会引起该断层的运动,那么这一断层可视为非能动断层,反之为能动断层";1994年原国家地震局、核安全局联合发布的《核电厂厂址选择中的地震问题》HAF0101(10)规定:在晚更新世(约10万年)以来有过活动的断层为"能动断层"。有人也称此时限内有活动的断层为活断层或工程活断层。据此,将活断层的活动时限规定为约10万年。

5.2.8 2008年5月12日四川汶川地震后,国家进一步强调了水电工程的地震安全性,对防震抗震设计提出了新的要求,而地震安全性评价是水电工程抗震设计的重要依据。因此,本次修订时,修改了原规范关于地震安全性评价的有关规定,规定本规范适用范围内的水电工程均应进行地震安全性评价。地震安全性评价应按有关规定委托有资质的单位进行。

5.2.9 本条规定了地震安全性评价应提供的基本成果，是目前水工抗震设计所必需的。

5.2.10 本条从区域构造稳定性出发所提出的坝址选择应遵守的两条准则是基于目前国内水工建筑物抗震设计水平考虑的。本次修订中，考虑到与正在修订的行业标准《水电工程抗震设计规范》《水工建筑物抗震设计规程》相协调，将 $6\frac{3}{4}$ 级修改为 7.0 级，将大坝等挡水建筑物不宜建在已知的活动断层上，修改为"不应建在已知的活动断层上"。本条所指挡水建筑物除大坝外，还包括泄水建筑物中的挡水闸门等。

5.3 水　　库

5.3.1 本条规定的水库工程地质勘察内容都是水库常见的主要工程地质问题，并都有可能对工程效益、造价和库区环境造成影响，在特定条件下，可以影响建库的可行性。所以，本阶段勘察应对这些重大的工程地质问题做出初步预测和评价。

本次修订对第 5 款的内容做了修改，随着水电建设事业的蓬勃开展，国家对水库移民工程越来越重视，本款规定了本阶段水库移民工程地质勘察工作的重点和工作内容，要求对移民集中安置点初步判断其场地的稳定性和适宜性，并对重要的移民点提出了加深勘察深度的要求。具体勘察工作内容和要求，可参照相应的规范执行。

5.3.2～5.3.6 这几条分别提出了水库渗漏、库岸稳定、浸没和水库诱发地震和移民集中安置点勘察的内容要求，条文列出了为评价上述工程地质问题应取得的地质资料。

第 5.3.2 条中第 3 款，修建在悬河上的水电站与一般水电站在勘察内容上无本质性差别，但需注意其渗漏常表现为整个库盆向下的垂直渗漏。

第5.3.4条第5款,是基于岩溶区水库浸没的特殊性而提出的。

第5.3.5条由于水库诱发地震的机制比较复杂,条文中所列出的预测方法仍主要是靠经验类比判断。

第5.3.6条,我国的水电建设多位于西部地区,场地的区域背景较为复杂,且多属山区复杂场地各种不良物理地质现象较为发育,因此本阶段应对影响场地总体稳定和建设适宜性的不良物理地质现象初步查明并避开活动性断裂的影响。

5.3.7 本条测绘比例尺的选择是根据研究问题的需要和现有的地形以及航拍图像的情况,以采用1:50000~1:10000较为合适。如果地质条件比较简单,库区面积很大,可以采用1:50000;如库区地质条件复杂,或者为了研究库岸稳定或浸没等专门性问题的需要可采用1:25000~1:10000;对可能威胁工程安全的滑坡和潜在不稳定岸坡,宜采用更大的比例尺。

由于本阶段水库区工程地质勘察中,不可能布置较多的重型勘探,因此,只要地形和物性条件允许,应充分利用物探。

岩土体试验应结合勘探工程进行,选取有代表性的岩、土样进行一定数量的物理力学性质参数的测试工作。由于本阶段试验的数量有限,有关参数的取值仍应以工程地质类比法为主。

本阶段除特别重要地段外,一般不布置专门性的长期观测工作;但对可能发生渗漏和浸没等工程地质问题的地段,在勘察中可利用已有钻孔和水井,在同一时段进行地下水位观测是必要的。

本阶段水库移民集中安置点和专项复建工程的勘察工作深度,以宏观上判断场地的稳定性和适宜性为目的,勘察方法应以地质测绘为主,县城或中心集镇或当选择的场地地质条件复杂或存在影响场地稳定的不良地质现象时,应布置一定的勘探工作。

5.4 坝　　　址

5.4.1 本条所列9款勘察内容是预可行性研究阶段必须回答的

问题。

考虑到坝、闸址的地质条件千变万化,情况错综复杂。本条只对某些特殊情况,如岩溶区坝、闸址的特殊工程地质问题做了补充性规定。

5.4.2 本条是对坝址勘察方法的原则性规定。

1 工程地质测绘比例尺是根据本阶段的勘察内容、勘察深度要求及近年来工程地质勘察经验确定的。

2 工程地质测绘范围主要是为阐明坝址区的地质构造和有关工程地质问题以及设计上为研究枢纽建筑布置方案的需要考虑的。

3 本款为物探工作布置的一般性原则。强调了物探布置与勘探剖面线的结合,以发挥其他勘探与各种物探方法的互补性,有利于提高勘探成果的精度和勘探效率。

4 为了保证各比较坝址方案的可比性,本规范规定各比较坝址均应有一条主要勘探剖面线,对于坝高 70m 以上的代表性坝址和地质条件复杂的比较坝址,可以在主要勘探剖面线的上、下游布置辅助勘探剖面线。

条文所指的勘探点包括钻孔、平洞和竖井等重型勘探工程。根据以往工作经验,本阶段勘探点的间距不宜大于 100m。为保证河床部位有适当的钻孔控制,条文规定河床不应少于 2 个钻孔,另外还规定对坝址比较有重大影响的工程地质问题,都应有钻孔或平洞等勘探工程控制。

平洞在调查地形坡度较陡的谷坡和产状较陡的地质构造等方面,竖井在调查缓倾角结构面方面都有特殊的效果,所以条文作了强调。

5 坝址勘探钻孔的深度要求主要是由本规范第 5.4.1 条所确定的勘察内容决定的。除专门性钻孔和其他特殊需要钻孔需根据实际地质情况确定孔深外,一般坝址河床钻孔的孔深,岩石地基按 1.0 倍坝高考虑已足够,但对坝高在 70m 以上的高坝,特别是坝高达 200m～300m,就没有必要都深入到基岩面以下 1.0 倍的坝高深度,从坝基稳定和防渗要求出发,对于 70m 以上的高坝,河床覆盖层小于 40m 时,基岩勘探孔深为 0.5 倍～1.0 倍坝高时,已能满足要求。对岩溶地区的孔深应根据具体情况确定。

6 深厚覆盖层上坝、闸址的勘探钻孔深度是根据持力层深度、坝基渗流分析及研究防渗方案的需要等方面考虑的,并且都应从建筑物底板高程开始计算,在此深度内如钻孔仍未穿透工程地质不良土层时,应根据具体情况适当加深。对基岩面以下的勘探深度可以适当减少,为了调查基岩中有无埋藏深槽和避免对河床覆盖层厚度的误判,孔深达到基岩面下 10m～20m 是必要的。

7 在预可行性研究阶段进行钻孔抽、压水试验和各项专门性试验,以取得有关的地质参数是必要的。由于本阶段钻孔数量不多,所以原则上基岩钻孔都要求进行压水试验。

8 岩土试验的组数是根据以往工程的经验确定的。对土基特别是细砂、粉土和黏土地基,除取样进行室内试验外,野外标准贯入试验和动、静力触探等钻孔原位测试也应充分使用。在第四纪地层上进行坝、闸址勘察时,应考虑一定数量的标准贯入试验、触探和十字板剪切试验。

5.5 引 水 线 路

5.5.1、5.5.2 这两条是专为引水线路大于 2km 以上的长引水线路制定的。在水电工程中,引水线路方案的选择,往往制约着工程的可行性,因此是本阶段地质勘察的重要任务之一。

引水建筑物包括隧洞和明渠两种主要类型。第 5.5.1 条规定了引水隧洞的必需的勘察内容,突出了对围岩稳定性有较大影响的地质因素,对一些特殊洞段和特殊部位在第 4 款、第 5 款中做了专门性的规定;第 5.5.2 条规定了引水明渠的勘察内容,这些内容是初步评价明渠的主要工程地质问题所必需的。

5.5.3 本条对引水线路的勘察方法做了原则性的规定。

工程地质测绘比例尺的选择考虑了引水线路通过地带地形、地质条件的复杂性。一般地形平坦,地质条件简单,引水线路较长时,可选用较小的比例尺;地质条件复杂的山区线路宜选用较大的比例尺。

条文确定的测绘范围主要是为阐明引水线路的工程地质条件和问题以及设计上研究引水方案的需要。

勘探工作的布置,取决于建筑物的类型和地形、地质条件。钻探是一般常用的手段,但对隧洞而言一般主要布置于进出口段、傍山浅埋段、跨沟段等上覆岩体厚度较小且易出工程地质问题的地段。勘探平洞是一种直观而有效的手段,对隧洞进出口可作为首选勘探手段。

5.6 厂　　址

5.6.1、5.6.2　地面式与地下式厂房是水电站厂房的两种基本类型。第5.6.1条规定了地面式厂房的勘察内容,第5.6.2条规定了地下式厂房的勘察内容,两者各有侧重,压力管道一般也包含于厂区范围内。

5.6.3　本条为勘察方法的一般性原则。测绘比例尺的选择,主要考虑到水电站厂房一般建筑物比较集中,范围不大而建筑物等级较高,所以宜采用较大的比例尺。

测绘范围是按阐明厂房建筑物区的主要工程地质条件和问题以及设计上研究厂区枢纽方案所必需来考虑的。

勘探工作的布置,钻孔是常用手段,地面式厂房宜优先考虑,而隧洞出口、地下厂房、边坡工程宜优先采用平洞勘探。

5.7 泄水建筑物

5.7.1、5.7.2　这两条的勘察内容是为满足对主要工程地质条件及问题的评价而确定的,突出了溢洪设施的工作特点和工作环境。近年来,金沙江、澜沧江、雅砻江等大江大河上已建及拟建的水电工程,泄洪规模巨大,由此带来了高边坡的稳定问题,泄洪雨雾对边坡稳定的影响也十分突出,因此条文强调,应重视溢洪道边坡和泄洪水雾对边坡稳定的影响。

5.7.3 勘察方法的选择和勘探工作布置应考虑勘察对象的工程特点。

1 测绘比例尺和测绘范围的选择是为满足对主要工程地质条件和问题的评价以及设计研究方案布置的需要。

2、3 勘探工作布置考虑了工程的特点,一般来说,对其主要的建筑物以钻孔为主,但对高边坡地段,宜首选平洞勘探。

6　可行性研究阶段工程地质勘察

6.1　一般规定

6.1.1、6.1.2　这两条规定了可行性研究阶段工程地质勘察的目的、任务和工作内容。

本次修订在第 6.1.2 条第 1 款中增加了"地震地质灾害评价"的内容。汶川地震、舟曲泥石流等灾害发生后，我国水电工程勘察设计及建设中进一步加强了对地震等引起的地质灾害及其对工程影响的重视程度，因此，规范中予以专门规定。地震地质灾害的调查，应结合工程场地的地震安全性评价工作进行，分析评价工程场地活动断层的影响，地震条件下工程边坡的稳定性、沙土地基液化、近坝库岸稳定性及其对工程的影响等，提出相应的处理和防护措施、应急预案等的意见和建议。

鉴于预可行研究阶段经初步比较已完成了推荐代表性坝址的任务，推荐的代表性坝址一般应是可行性研究阶段重点进行工程地质勘察的坝址，而对其他比较坝址，则应查明影响坝址比选的主要工程地质问题，开展必要的勘察工作，为选定坝址进行地质论证。

为配合可行性研究阶段工程建设征地移民安置规划工作的开展，本阶段应查明移民集中安置点和专项复建工程的地质条件，评价场址的整体稳定性和建设适宜性。

本次修订新增了第 6.1.2 条第 8 款的内容，应在查明水库工程地质条件的基础上，开展水库影响区界定的专题研究工作，界定由于水库滑坡、塌岸、浸没、内涝等因地质原因引起的水库影响区范围，为本阶段水库正常蓄水位选择和建设征地提供依据。本阶段界定的水库影响区范围，主要为预测成果，今后随着水库蓄水运行,其范围是可能发生变化的。此外,本阶段还应结合工程区地质条件的勘察,开展地质灾害的调查和评价,查明库区和枢纽区在施工和运行过程中可能存在地质灾害,提出相应的处理措施建议。

水电工程在前期勘察设计过程中,十分重视对工程区地质灾害的调查,在各个阶段均结合工程区地质条件的勘察,分析调查工程区及移民集中安置点的地质灾害。因此,在本次修订中,对第6.1.2条第10款做了相应的修改。

6.2 水 库

6.2.1 对影响水库方案的重大工程地质问题已在预可行性研究阶段做出了初步评价,在可行性研究阶段的工程地质勘察任务主要是针对存在的工程地质问题加深研究,达到查明问题的精度。同时根据对库区不稳定体和潜在不稳定体、塌岸、浸没、岩溶内涝等不良物理地质现象的分析评价,界定水库影响区范围,为水库淹没处理设计提供依据。

针对近年来发生多起泥石流灾害对水电工程建设的危害,本次修订中增加了第5款的内容,规定了泥石流勘察的主要内容。

6.2.2、6.2.3 水库渗漏地段勘察中,对非可溶岩的单薄分水岭、强透水层、大断层破碎带和古河道等水库渗漏问题,与可能发生渗漏地段的地质构造条件关系密切,故条文中规定应查明这些地段的地质构造条件,并应根据问题的性质做相应的勘察研究工作。但可溶岩地区岩溶渗漏问题比较复杂。因此,将查明岩溶发育特征和岩溶渗漏性质,主要漏水地段或主要通道的位置、形态和规模,估算渗漏量,提出防渗处理的范围和深度的建议等列为本阶段勘察的内容。根据多年来对岩溶渗漏问题勘察研究的经验总结,在规定应查明的内容时,按查明相对隔水层、地下水补给、径流、排泄条件与地下水位、岩溶发育特征的次序列出。

洞穴追索和测绘是岩溶调查行之有效的方法,对洞穴的形态、规模及延伸长度要尽可能查明,必要时可结合利用洞探、物探、钻探追索。

物探可使用的方法有地面物探、测井、地质雷达、地震波及电磁波层析成像等。工程实践证明，为提高解译精度，利用综合物探可以比单一方法的物探提供更多的信息。但物探的应用需要多方面的条件，不顾条件常常得不到应有的效果。

在岩溶勘察中，地下水示踪测试（即连通试验）对查明地表水、地下水去向，岩溶洞穴间的连通情况，地下水的实际流速，确定地下水分水岭等，不失为直观有效的方法。示踪剂可采用荧光素、石松孢子、同位素、食盐、钼酸铵等。

6.2.4、6.2.5 深切峡谷中，岸坡的重力作用增强，物理地质现象发育，卸荷深度大，变形体数量多，规模大。库岸失稳还会引起涌浪，影响工程和居民点的安全，是水库工程地质勘察的重点之一。

可行性研究阶段的任务是对库区存在的大、中型滑坡或潜在不稳定岩土体进行详细测绘和研究，评价其在天然和不同库水位工况下的稳定性及其对工程的影响，圈定不稳定岩土体的影响范围，以免在水库移民征地规划中漏项。并应布置相应的地质勘察工作，以查明近坝库岸或城镇附近的塌滑体或不稳定岸坡或库区巨型滑坡的边界条件。

不稳定岩土体的监测也是可行性研究阶段勘察的主要组成部分，并对工程地质评价有重大影响。监测工作一般先采用简易手段，然后逐步完善监测网。

6.2.6、6.2.7 塌岸是指发生在第四纪松散堆积覆盖层库岸的坍落和库岸线后退现象，故称覆盖层塌岸。

塌岸预测主要以图解法为主，方法直观可行，但预测中的自然稳定坡角、浪击带坡角和水下浅滩坡角不是完全可以从试验得出的，故条文中强调应收集、调查地质条件相似的已建水库库岸和河湖岸的各类坡角，在预测计算时与试验结果结合选用。

根据官厅水库的经验，在预测中要充分考虑坍落物质中粗颗粒的含量及其在坍落后在岸坡再沉积对岸坡的保护作用，实际塌岸远小于预计宽度,这一经验在塌岸研究中应加以重视。

根据工程实践经验,为提高勘察精度,本次修订中,修改了地质测绘比例尺和勘探剖面间距,将农村地区测绘比例尺 1:10000～1:5000 调整为 1:10000～1:2000。将农村地区地质勘探剖面间距 1000m～5000m 调整为 500m～5000m,城镇地区 200m～1000m 调整为 100m～1000m。

6.2.8、6.2.9 浸没问题原先在北方较为突出,后在浸没区改种水稻,使问题大为简化,说明浸没影响与作物种类亦有关系;而南方岩溶区库岸洼地、槽谷产生浸没或内涝亦会影响当地的生产和生活,故条文中没有明确规定浸没标准。

浸没研究的基本方法是在了解水文地质条件和水库回水位资料的基础上,进行潜水壅高预测和做出评价。其中值得注意的是:潜水回水计算时需考虑因库尾淤积使当地库水位抬高,从而影响地下水壅高;选取的潜水回水计算公式,应尽可能符合当地地质及水文地质条件。

条文中可能浸没区所在的地貌单元主要是指各级阶地。勘探剖面线一般垂直库岸或平行地下水流向布置,目的是为了取得较可靠的地下水水力比降资料。

条文中规定勘探剖面线之间可采用物探方法加密,是考虑到所列出的地下水位、相对隔水层或基岩埋深资料在与勘探资料对比的基础上,是物探可能解决的项目,也是地下水壅高计算中的必要资料。其他如土的分层,使用地面物探不一定有效,因此没有列入。

本次修订中,修改了测绘比例尺和勘探剖面间距,将农村地区测绘比例从 1:10000～1:5000 调整为 1:10000～1:2000,剖面线勘探间距从 1000m～3000m 调整为 500m～3000m,城镇地区勘探剖面间距从 200m～500m 调整为 100m～500m,目的是为提高浸没预测的精度。

6.2.10、6.2.11 泥石流类型多、分布地域广,具有突发性和多发性的特点,对峡谷型水库往往造成严重影响。在山高沟深、地势陡峻、有利于集水的地形,有丰富的松散的岩土碎屑物和短时间突发大量流水等,这些是发生泥石流的条件。因此,针对形成泥石流的条件,条文明确了泥石流的勘察内容和方法。

泥石流形成区,应详细调查岩土性质、风化程度和厚度,构造破碎情况,滑坡、崩塌等堆积体的规模和稳定程度,并估算可能供给的各种固体物质数量。

泥石流流通区应详细调查沟床纵坡、沟谷急湾、基岩陡坎、沟坡稳定条件等。调查历史泥石流痕迹及两侧山坡可能供给的固体物质来源。

调查泥石流堆积区范围、最新堆积物分布特点等。根据堆积物粒径大小,堆积的韵律分析历次泥石流活动的规模、规律和频繁程度,评价其活动程度及危害性,并估算一次最大堆积量等。

6.2.12、6.2.13 已有震例显示,中等强度以上的水库地震,有可能造成大坝和水工建筑物的损害,也会给库区带来一定的人员和物质损失。尽管也有大量震例表明,水库诱发地震是一种相当复杂的现象,其发生机理还未查清,但水库诱发地震是客观存在的事实。因此,在水电工程的可行性研究阶段,必须对水库诱发地震的危险性做出合理的预测或评估。根据工程实际情况,本阶段一般不进行水库诱发地震的监测工作,但应开展水库地震监测台网布置的设计工作。

6.2.14~6.2.16 为配合本阶段水库移民规划工作,移民集中安置点的地质勘察主要是针对移民集中的大型迁建新址开展的,按建设征地移民安置规划大纲和规划报告两阶段开展,移民安置规划大纲阶段应开展选址地质勘察工作,初步评价场地的整体稳定性和建设适宜性,满足场地功能分区规划设计的要求;规划设计报告阶段主要应开展场地平整及防护工程、市政及公用工程设施的地质勘察工作,满足详细规划设计深度的要求,并按本次新增的附录 E 评价移民集中安置点场地的稳定性和建设适宜性。条文只列出了移民集中安置点主要的勘察内容,其勘察方法应符合有关规范的要求。

专项工程是指受水库淹没需要迁建的水利、水电、电力、道路、桥梁、矿山等工程,其勘察内容和方法应根据工程类型按有关行业规范执行。

6.3 土 石 坝

6.3.1 土石坝是指利用工程附近的天然建筑材料所建的坝,包括土坝、土石坝和面板堆石坝等。土石坝坝基可以建在岩基上也可以建在第四纪覆盖层土基上。由于土石坝对地基强度要求较低,基岩地基一般都可以满足,所以勘察内容中偏重于覆盖层坝基的勘察。对于基岩坝基,条文中强调了比较重要的坝基透水层和相对隔水层性状和分布,岩溶发育情况和风化带、卸荷带等的发育情况等部分内容。本条是强制性条文,条文规定的勘察内容对土石坝的安全有影响,是本阶段需予以查明的重要内容,必须严格执行。

6.3.3 采用跨孔法测定横波速度主要是为砂土液化评价用。勘探点间距是指所有重型勘探工程的间距。

勘探钻孔深度按覆盖层地基和基岩分别对防渗线钻孔和一般勘探孔作了规定。由于两种地基条件差别大,这样可以做到相对合理。覆盖层地基中、下伏基岩埋深小于 1 倍坝高时,孔深到基岩面以下 10m～20m 是指一般情况而言,遇到特殊情况时,可根据具体情况对勘探钻孔深度作一定论证。

每一主要土层的物理力学性质试验组数累计不少于 11 组,是为了与现行行业标准《碾压式土石坝设计规范》DL/T 5395 相一致。

6.4 混凝土重力坝

6.4.1 本条为强制性条文,为建在岩基上的混凝土重力坝坝址的勘察需查明的重要内容,必须严格执行。第四纪覆盖层作为混凝土重力坝(闸)地基的勘察要求见本规范第 6.4.4 条。

坝基岩体工程地质分类是在对坝基岩体进行全面勘察研究基础上的综合,划分出的各类岩体均附有必需的物理力学性质参数。

6.4.3 当岩性变化或存在软弱夹层时,应测绘详细的岩层柱状图,是指砂岩、页岩或泥灰岩、灰岩、页岩相互交替出现,岩性变化复杂或性状差、软弱夹层密度高的情况下,而测绘比例尺又不易反映时,应按岩性逐层测量和进行描述,并分别编制出柱状图供制图和地质分析用。

强调物探是因为可研阶段勘探工程较多,有条件开展多种方法的综合应用以便取得更多的信息,为工程地质分析提供更多的依据。

区别主勘探剖面、辅助勘探剖面、帷幕孔与一般勘探孔,不同建筑物部位,不同地形地质条件,对勘探手段,勘探点间距、勘探深度作了不同规定,是为了使勘探布置目的性和针对性更加明确;布置倾斜钻孔查明坝基顺河断层是根据有关工程的经验提出来的。河底勘探平洞施工难度较大,因此,只有当常规勘探手段不能满足要求时,才考虑布置河底勘探平洞。

勘探点间距是指钻孔、平洞、竖井等各类重型勘探工程的间距。

岩土试验条文中所列的试验是常用的,工作中可根据具体情况提出其他专门性试验项目。

岩体透水性各向异性专门试验包括定向试验、交叉孔试验、三向压水试验等,实际工作中可根据具体的水文地质条件选取,本次修改后,条文中对岩体各向异性渗透试验未做明确规定。

6.4.4 建在土基上的混凝土重力坝(闸)由于土基的岩性、岩相和厚度变化大,结构松散,压缩性较大,易产生不均匀沉陷且渗流控制较复杂,一般只适宜修建中低闸坝,其勘察内容是根据闸坝对土基的要求提出的。枢纽布置中,应尽量避免以两岸覆盖层作为坝基与坝肩接头。本条为强制性条文,条文规定的内容,是影响坝基变形和稳定及工程安全的主要因素之一,必须予以查明,严格执行。

6.4.5 闸坝地基为土基的钻孔,根据覆盖层厚度和闸坝基底宽的关系所做的规定,主要是从了解全部持力层情况和渗流分析需要考虑的。

当覆盖层厚度大于闸底宽时,除规定一般钻孔深度外,还要求少数控制性钻孔钻穿覆盖层后进入基岩5m~10m。

6.5 混凝土拱坝

6.5.1 在河谷狭窄、两岸岩体坚硬完整的坝址,拱坝坝型在技术经济论证时常常显示出明显的优势,所以拱坝常成为枢纽布置首选的基本坝型。混凝土拱坝坝址的勘察内容就是根据拱坝对坝基的要求和有关工程经验提出来的。

拱坝坝址在地形上有一定的要求,较为理想的坝址应当是河谷狭窄,两岸岸坡顺直、对称、地形完整、山体浑厚的河谷。因此,在勘察中应评价地形条件的建坝适宜性。

条文中强调了查明两岸的软弱岩带、不利结构面、强渗透带的重要性和对拱座变形稳定、抗滑稳定和渗透稳定的影响。

条文根据有关工程经验强调了建基面选择与可利用岩体研究的重要性。过量的开挖不仅增大工程投资、延长工期,还会造成高边坡、高地应力及工程荷载增大等一系列问题,给工程带来不安全因素。现行行业标准《混凝土拱坝设计规范》DL/T 5346已将高拱坝建基面标准由原来的新鲜至微风化放宽至局部可利用弱风化下带岩体。

坝基岩体工程地质分类和各类岩体的物理力学参数选取直接关系到拱坝的经济和安全,是与坝身设计同样重要的问题。

拱肩槽开挖及坝顶以上一定范围往往存在严峻的高边坡稳定问题,有的已成为制约水电站选点、施工进度、投资和安全运行的关键因素,所以在条文中强调了高边坡的勘察和稳定性评价。

本条为强制性条文,规定了必须查明的影响拱坝安全的主要工程地质问题,必须严格执行。

6.5.2 在研究两岸坝肩的抗滑稳定条件时,对两岸发育的缓倾角和与河流大致平行的中陡倾角断层、长大节理密集带、卸荷裂隙等软弱岩带需特别重视,应采取有效的勘察方法,查明其位置、性状及其组合构成的滑移块体;当不连续面组成滑移块体边界时,应详细调查控制性节理裂隙组的发育规律、间距、延伸长度、性状和连通率。连通率的调查应结合工程部位,选择有代表性的统计位置进行。连通率的调查统计方法很多,常用的有统计窗精测概率计算法、全迹长实际投影法等,可根据具体情况选择统计方法。

本阶段孔、洞、井等重型勘探工程全面展开,工作中要充分利用这些重型勘探,并开展多种物探方法的综合应用,结合岩体物理力学性质试验,查明拱坝坝址区的工程地质条件。

重型勘探工程一般应在地面地质测绘和物探的基础上开展,在拱坝坝址,除河床勘探以钻孔为主外,两岸坝肩防渗线、拱座及抗力体勘探应以勘探便道和洞探为主,并与洞内钻孔结合,形成勘探剖面。针对抗力体部位的专门勘探,应以平洞、竖井等为主,用以查明构成滑移块体边界结构面的位置、性状及连通情况。

雅砻江锦屏一级水电站、金沙江龙盘水电站以及大渡河上的一些水电工程,在前期勘察中,均在岸坡深部出现集中卸荷拉裂现象,深度接近或超过 200m。因此条文强调,150m 以上的高拱坝,特别是西南峡谷地区河段,两岸勘探平洞深度不宜小于 200m。

通过对一定数量的变形试验点岩体波速的测试,可以进行动静变形模量关系对比分析,建立波速与变形模量的相关关系,因此条文规定,应在变形模量测试点进行岩体波速测试。现场抗剪断和抗剪试验应在分析研究岩体滑移模式的基础上进行。条文中列出的现场测试、试验和室内试验除应符合本规范规定外,还应符合现行行业标准《水电水利工程岩石试验规程》DL/T 5368 的规定。

鉴于目前我国的拱坝建设规模越来越大,已建成的小湾、溪洛渡和锦屏一级水电站拱坝高度接近和超过300m,两岸边坡的稳定性对拱坝的安全运行至关重要,因此,条文规定在高山峡谷坝址区宜对两岸边坡进行变形监测。

6.6 隧 洞

6.6.1 本条规定了隧洞勘察的主要内容,其中隧洞围岩工程地质分类,是评价围岩整体稳定及设计系统支护的重要方法,即本规范附录 L。该分类法经水电工程实践证明,是适用于水电勘察不同设计阶段的分类方法。还需指出的是,在很多大型水电工程使用时,常同时采用国际上比较通用的 Q 系统分类、RMR 分类进行地下工程岩体分类,一方面便于对比,另一方面也便于国际交流和国际合作。

对埋藏深度大于300m 的隧洞,很难全面查明其地温和地应力情况,要求分析预测。在花岗岩和含铀、含煤岩层等含有放射性物质和有害气体的地层中,应探测其计量和浓度,评价其对工程建设的影响。

6.6.2 1:500 大比例尺工程地质测绘是指如岩塞爆破等非常规的特殊需要而言。

物探工作应充分利用已有重型勘探工程进行综合物探。

对于深埋隧洞进行勘探和测试都比较困难,可根据具体条件布置钻孔或平洞,并开展相应的试验工作。如天生桥二级水电站折线方案和直线方案分别在洞线的中部钻了两个钻孔,孔深 500余米,孔底达到隧洞底板 20m 以下,勘探结果在控制岩层界线、了解断层深部情况、进行水位长期观测、了解岩溶随孔深减弱情况以及饼状岩芯情况等方面都取得了丰富资料;又如锦屏二级水电站长隧洞勘察中,在大水沟厂址开挖了两条相互平行、中心间距为30m、断面为城门洞形、长 5km 的长勘探平洞,在长探洞中开展了地应力、地温、有害气体、岩体物理力学性质等大量的试验研究,对确认和核实围岩高地应力、实测洞室地温,了解深部岩溶发育特征、岩溶突水和实测外水压力等重大工程地质问题起到了重要的作用。

6.7 渠　　道

6.7.1 本条第 1 款和第 5 款是总的要求,第 2～4 款是针对渠道沿线岸坡稳定、渗漏与渗透稳定以及地基和开挖边坡稳定问题提出的要求。第 1 款中还专门提出要求查明渠道沿线基岩和第四系覆盖层的分布,这是结合渠道施工中石方和土方开挖的难度和费用差别较大而提出的要求。

6.8 地下厂房系统

6.8.1 厂房围岩及其结构面的物理力学性质、厂房位置和轴线的选择是本阶段地下厂房区工程地质勘察的重要内容,因此,修订时增加了第 7 款、第 9 款的内容,同时,适当调整了条款的顺序。

地下厂房系统包括厂房(含安装间、主副厂房)、主变室、尾水调压室三大洞室以及调压井、压力管道、岔管、出线洞、交通洞等洞室,是一个在空间构成规模各异、形态不同、纵横交错的洞室群。开挖后围岩的应力状态极其复杂,洞室相互影响,因此洞室群围岩稳定性评价是一个复杂的非线性问题,需要以系统分析的方法来综合评价。其中,工程地质研究方法仍然是最基本的。地下厂房系统的各项勘察内容就是根据围岩稳定性工程地质评价的要求提出来的。

厂址的选择对地形有一定要求,要求山体完整、雄厚、稳定,其埋深应能满足地下厂房顶部能形成自承拱,对完整坚硬围岩一般要求上覆岩体厚度、洞室间距均不小于 1.0 倍～1.5 倍开挖跨度,水平埋深也不宜过大,以免增加尾水长度和施工困难。

要求查明岩质特征,地下厂房位置应尽量选在岩体坚硬完整的部位,尽量避开较大软弱岩带、风化卸荷岩带。硬质围岩一般均属稳定的或比较稳定的;而软岩常因遇水软化、泥化、膨胀及崩解使围岩强度降低,产生较大变形甚至破坏,对这类围岩常要采取及时封闭、隔水等措施。要求查明地质构造条件,要尽量避开较大断层破碎带,洞线要尽量避免与结构面小角度相交,要具体分析洞室通过的褶皱、断层、节理裂隙及其组合对围岩稳定带来的不利影响。

要求查明厂区的水文地质条件,尽可能避开地下水储水构造、岩溶洞穴和暗河;要详细分析由于地下水活动和地下水动、静水压力对围岩稳定带来的不利影响。

要求查明厂区岩体及结构面的物理力学性质,重视岩体地应力调查分析,根据工程经验,地下厂房宜布置在地应力正常带中,以避免围岩应力松弛造成成洞困难或应力过高开挖松弛较深影响围岩稳定。对于围岩压应力集中的部位,应根据围岩强度应力比来评价围岩的稳定性,当围岩强度与最大主应力之比小于 4 时,会出现应力超限形成塑性区,围岩稳定性差;当比值小于 2 时,围岩不稳定。

地下厂房的轴向应根据厂区范围内的岩体结构、地应力条件并结合进水、尾水布置综合分析确定。原则上当地质结构面比较发育,又处于较低地应力区时,厂房轴线方向应以考虑岩体结构条件为主,使轴向与结构面走向具有较大交角;当岩质比较坚硬完整,结构面不发育,又处于高或较高地应力区时,则应以考虑地应力因素为主,使轴向与最大主应力有一个较小的交角(一般小于30°),但不宜完全平行。

在围岩条件优良地段布置气垫式调压室是一种经济、环保和很有前途的结构形式,应强调查明围岩类别、上覆厚度、应力状态和高压渗透特性。

6.8.2 在探洞内布置不同方向的钻孔和至少在地下厂房拱座附近高程顺轴向和垂直轴向布置平洞,深度宜穿过洞室后再掘进 1 倍边墙的高度,是为了基本控制顶拱和高边墙的地质条件,特别是查清可能在边墙上出露的倾向洞室、倾角大于 45°的不利结构面,为优化建筑物的布置和围岩稳定性评价奠定必要的基础。鲁布革、二滩、小浪底、东风、官地、溪洛渡、锦屏一级等一大批地下厂房洞室群的勘探工作大多如此布置。

此外,勘探平洞尽量能结合施工和水工布置,使之能在施工中或作为永久建筑物加以利用,减少对围岩的扰动和节省开支。在一些高水头和抽水蓄能地下水电站,设计上需要研究高压管道混凝土衬砌和引水隧洞一坡到底-气垫调压室布置方案,除为了查明相应部位岩体的坚固性和完整性外,往往还需要查明地应力状态与高压渗透水流作用下岩体的透水性和稳定性,进行特殊的水压致裂法应力测试和高压压水试验。所以在第 3 款～5 款中分别提出了相应的勘探、地应力测试和高压压水试验要求。

随着计算机应用水平的提高,目前,大型地下洞室群均开展了数值模似试验,一般不再布置现场模型洞,本次修订时删除了原规范中开展模型洞试验的内容。

6.9 地面厂房系统

6.9.1 地面厂房系统包括压力前池、压力明管、厂房、尾水渠及地面开关站。在厂房勘察中,应重视泥石流等物理地质现象的调查,根据太平驿、大朝山等水电站泥石流影响厂址选择的情况,这一问题在山区河流时有存在,仍是值得注意的问题。

地面厂房后坡有时会遇到高边坡的问题,有时还存在第四系覆盖层形成的高边坡,因此在本条第 5 款强调了查明厂房后坡及压力明管坡体稳定条件的内容。

6.9.2 本条关于钻孔深度的规定是指一般情况而言,有特殊需要时根据情况布置。压力前池等建筑物荷载小,主要是渗水后对地基的影响,按工程经验钻孔深度为 1 倍～2 倍水深。黄土因垂直裂隙发育,垂直渗透性相对较大,另外,考虑到黄土特有的湿陷问题,勘探钻孔深度增加至 2 倍～3 倍水深。

6.10 溢 洪 道

6.10.1 本条是强制性条文。溢洪道的工程地质勘察范围应包括引水渠、泄洪控制闸、泄槽和挑流鼻坎等及下游消能冲刷区、泄洪雨雾影响区。除查明建筑物地基工程地质条件外，应特别重视边坡稳定问题。边坡问题包括建筑物地段的天然边坡、开挖的工程边坡（尤其是内侧往往出现高边坡）、下游消能冲刷区边坡和泄洪雾雨区边坡的稳定条件。

此外，还须注意下游冲刷坑的形成及下泄水流回流对挑流鼻坎地基的淘蚀。挑流鼻坎建基面宜置于回流冲刷深度以下相对坚硬完整的岩基之上。

溢洪道是水电工程中重要的泄水建筑物，其安全关乎着水电工程的安全，本条规定的内容，是影响溢洪道安全的主要工程地质问题，必须严格执行。

6.10.2 本条测绘范围应包括论证边坡稳定和下游冲刷区与雨雾区边坡稳定所涉及的地段，是指建筑物地段开挖的工程边坡和冲刷区等天然岸坡两方面。对于开挖的工程边坡，测绘范围应扩大到设计开挖坡顶线以外一定范围，以便查明对开挖边坡有影响的各类结构面的情况和天然边坡稳定性的现状，扩大的范围需根据当地的地形地质条件和预测的泄洪雨雾区影响范围等因素综合确定。

6.11 通航建筑物

6.11.1 船闸边坡岩体的变形稳定及抗滑稳定关系到船闸的安全运行，本条强调查明船闸边坡的稳定条件，提出加固处理建议。

6.12 主要临时和辅助建筑物

6.12.1 围堰的勘察内容和方法可参照土石坝或混凝土闸坝有关条款的规定适当简化。

6.12.2 导流明渠工程地质勘察的内容和方法与一般渠道有很多相似之处。本条仅就其不同之处提出相应的要求。特别强调导流明渠外导墙的勘察，是因为外导墙要承受外侧大坝基坑开挖和渠内较大的水头压力,其稳定与否关系到基坑和施工安危,故对外导墙地基的地质勘察和稳定性评价给予更多的重视。

6.12.3　导流隧洞可按照隧洞有关条款的规定适当简化。

6.12.4　随着水电工程规模的加大,特别是在高山峡谷地区,高陡边坡稳定问题十分突出,近年来的工程实践表明,坝顶以上边坡及缆机开挖边坡的稳定已经成为坝址区主要的边坡稳定问题之一。本条规定应查明缆机部位的工程地质条件,特别是边坡稳定性,并提出处理建议。

6.12.5　本条为新增规定。施工中往往利用冲沟或沟口作为堆渣场地,因此,条文强调应调查冲沟发生泥石流的可能性,提出治理、监测、预警及应急预案建议,为施工总布置规划提供地质依据。

6.12.6　本条为新增规定。为配合施工总布置规划进行,应初步查明业主营地、承包商营地的工程地质条件,特别是要查明影响营地安全的不良地质现象,重点是评价场地的稳定性和建设适宜性。

6.13　天然建筑材料

6.13.1　天然建筑材料勘探精度一般应与设计阶段相适应,但当某种天然建筑材料储量不能满足相应阶段的要求并可能影响到坝型和结构选择时,在预可行性研究阶段就可能对控制性料源及主要料场进行了详查,对此,在本阶段可视需要进行复查。

　　天然掺和料一般包括凝灰岩、凝灰质页岩、火山灰等,调查工作应根据当地条件和设计提出的要求进行。

　　考虑到近年来料场开采边坡高度增大,边坡的稳定问题也是料场的一个主要工程地质问题,本次修订中增加了对料场开采边坡及自然稳定条件的勘察要求。

6.14　勘　察　报　告

6.14.1　鉴于可行性研究阶段工程地质勘察的重要任务之一是在上阶段推荐的代表性坝址基础上,进一步查明影响坝址比选的主要工程地质问题,为最终选定坝址进行地质论证,因此,本阶段工程地质勘察报告应包括坝址比较与选择的内容。

6.14.4 水库规划移民集中安置点和专项复建工程勘察的成果主要反映在移民安置总体规划(大纲)和移民安置规划报告等水库移民规划专业篇章或有关专题报告中,而本勘察报告水库工程地质条件评价仅列出勘察工作情况和工作成果、主要结论意见。

6.14.6 施工渣场和营地工程地质条件评价的内容,主要反映在施工总布置规划报告中,而本勘察报告仅列出主要结论意见。

7 招标设计阶段工程地质勘察

7.1 一般规定

7.1.1 招标设计阶段工程地质勘察是根据水电工程设计阶段划分的规定进行的。其前提是在可行性研究报告审批和项目评估后,在选定的水库及枢纽建筑物场地上进行。通过招标设计阶段工程地质勘察,进一步复核工程建设的工程地质结论,查明遗留的工程地质问题,为完善、深化和优化设计以及落实招标合同有关的问题提供地质资料。要求形成完整的阶段性报告并作为招标文件编制的基础。

7.1.2 本条规定了招标设计阶段工程地质勘察的 6 项主要内容:

1 本款针对可行性研究报告审批和项目评估后无异议的工程结论再做一次复核后,予以肯定。

2、3 可行性研究阶段遗留的或可行性研究报告审批和项目评估提出的专门性工程地质问题,为招标设计阶段工程地质勘察的主要内容。

4 工程设计的局部修改、变更或进一步优化需要补充提供的有关工程地质资料。

5、6 把水工临时建筑物、辅助建筑物、水库规划移民集中安置点和专项复建工程的工程地质勘察列为本阶段主要工作内容之一。

目前,水电工程移民安置规划设计工作主要应在可行性研究阶段完成,招标阶段水库规划移民集中安置点和专项复建工程地质勘察工作,主要针对有调整的方案进行,其深度应满足各规划阶段的要求。本次修订时不再专列章节规定相应的地质勘察工作内容。

7.2 工程地质复核

7.2.2 条文对复核的方法做了一般规定。工程地质结论明确的工程,以内业工作为主,收集可行性研究阶段原有工程地质资料和分析可行性研究阶段以后的观(监)测成果,从而复核工程地质结论,按现行行业标准《水电工程招标设计报告编制规程》DL/T 5212 的要求简述,并根据复核情况确定相应的勘察工作内容。

7.3 专门性工程地质问题勘察

7.3.1 招标设计阶段进行的专门性工程地质问题勘察,应根据每个工程的具体情况确定。根据近年来的工程实际情况,本条列出了可能需要开展专门性工程地质问题勘察的四个方面。

7.3.2 本条针对可能诱发地震的水库的专门性勘察做了两项规定。鉴于实际工作需要提出了确定建立地震监测台、网位置的要求。

7.3.3 本条对水库的专门性工程地质问题的勘察内容做了原则性的规定。

第 1 款～第 3 款分别对水库渗漏,库岸稳定,水库浸没、塌岸、泥石流等专门性工程地质问题的勘察内容做了明确的规定,并要求提出优化处理和完善观测的意见。

7.3.4 本条规定本阶段应根据移民安置工作的实际情况开展必要的勘察工作。当城市、集镇等集中移民安置点或专项复建工程的工程地质条件发现重大工程地质问题或因其他原因调整安置规划和专项复建工程时,应开展相应的补充勘察工作。

7.3.5 枢纽区各建筑物存在的专门性工程地质问题及其勘察内容,应根据工程的具体情况确定。

本条文明确对枢纽建筑物遗留的专门性工程地质问题的勘察首先要复核一般工程地质条件,规定了应复核的内容和分析评价工作。坝后冲刷问题涉及坝基、边坡等,但主要是对坝基稳定的影响,故在本条未单独要求。具体执行应由各工程可行性研究阶段工程地质勘察的深度确定。

7.3.6 针对泄水、输水、厂区、通航建筑物可能存在的专门性勘察内容做了规定。具体执行应由各工程可行性研究阶段工程地质勘察的深度确定。

7.3.7 本次修订新增的条款,对建筑物周边自然边坡稳定性复核提出了具体的要求。

7.3.8 对专门性工程地质问题的勘察方法做了原则性规定。本阶段对专门性工程地质问题均应做出明确的结论,勘察工作应针对工程地质问题的复杂性、可行性研究阶段勘察的深度和场地条件等确定。补充勘察工作深度应满足可行性研究阶段深度和精度的要求。对优化设计和施工安全有影响的,需要查明其基本情况、边界条件,为最终处理提供依据时,应进行大比例尺的工程地质测绘,并布置平洞、竖井和试验工作。

7.3.9 招标设计阶段专门性工程地质问题的勘察报告,要根据工程存在的实际问题拟定,工程中存在什么问题,并进行了相应的专门勘察,就应编写什么专题报告。例如,工程中存在边坡稳定问题,在招标设计阶段又进行了专门的勘察,就应编写边坡稳定问题的勘察报告。

7.4 临时和辅助建筑物

7.4.1 条文对临时和辅助建筑物做了界定,根据实际情况,导流工程也属临时建筑物,但一般是随主体工程进行勘察,故本阶段不再考虑做勘探工作。临时和辅助建筑物的规模、布置与施工要求密切相关,特别与承包商的要求有很大关系,但在招标设计阶段只能根据施工总布置,在选定的位置做些地质勘察工作,对有关工程地质问题提出初步评价,以满足编制招标文件的需要。详细的地质勘察工作可在施工详图设计阶段进行。

7.4.2 本条规定了对临时建筑物工程地质条件的勘察内容,除了一般工程地质条件之外,还应对场地稳定性、适宜性及相关的工程地质问题做出初步评价。

7.4.3 鉴于临时建筑物基本是与主体工程在一起的,尽可能使用主体工程已有勘察资料,但应进行现场复查,并根据实际情况布置工程地质测绘、勘探和试验等工作。

7.5 天然建筑材料

7.5.1 条文规定了招标设计阶段天然建筑材料要复查或补充勘察的前提。

料场变化是指选定料场因后期人工开采引起储量变化,或因河流洪水冲刷引起沙砾料场地形条件发生改变从而影响储量甚至质量的改变等。

7.5.2、7.5.3 这两条规定了复查或补充勘察的主要内容及技术要求。除复查或补充勘察外,招标设计阶段天然建筑材料勘察的另一重要工作是根据设计需求量,对料场进行优化,对料场施工开采范围的工程地质问题进行分析评价,这对指导施工开挖具有实际意义。

8 施工详图设计阶段工程地质勘察

8.1 一般规定

8.1.1 本条规定了施工详图设计阶段工程地质勘察的基本前提、工作对象、范围、任务、目的。经施工详图设计阶段工程地质勘察检验、核定的工程地质资料,是工程设计、建设和运行的重要基础性技术资料。

8.1.2 本条规定了施工详图设计阶段工程地质勘察的 5 项内容:

1 由于自然界地质体及其赋存环境的复杂多样性,人们受技术、社会环境等因素影响,对具体地质条件的认识需要逐步深化和完善;而且工程规模越大,要求的技术支撑条件越严格,对地质条件的了解深度要求也愈高。前期勘察中可能遗留某些专门性工程地质问题需要补充勘察,建筑物施工开挖和水库蓄水过程中,也可能会出现某些新的地质问题,包括蓄水和竣工安全鉴定过程提出的有关工程地质问题,在施工详图设计阶段工程地质勘察中,应对这些遗留的和新发现的专门性工程地质问题进行勘察或补充勘察。

2 施工地质工作是前期勘察阶段地质工作的继续,是对前期勘察成果的验证与核定;施工地质提供的工程地质资料,对建筑物的设计与施工乃至工程安全运行均有十分重要的意义。施工地质工作宜由熟悉该工程地质情况、具备相应资质的勘察单位承担。

3 地质人员应在查明工程地质问题的基础上,结合建筑物特点及其环境条件,提出处理措施建议。

4 在施工期,天然地质环境及其水文地质、工程地质条件随工程施工进度和水库蓄水过程发生显著变化,监测和检测资料可反映各种自然因素和人为因素的综合影响。对监测和检测资料进行综合分析,能了解建筑物场地水文地质、工程地质条件的变化和发展趋势,验证工程地质结论和工程处理效果。因此,监测和检测资料是优化建筑物设计和施工以及工程安全运行的重要依据。建筑物场地施工开挖和水库蓄水过程中会发现一些新的地质现象和地质问题,施工期已有的监测和检测项目与内容亦可能存在盲点等不足之处。因此,应提出完善施工期和运行期的工程地质监测和检测内容、布置方案和技术要求的建议。

8.2 专门性工程地质问题勘察

8.2.1 施工详图设计阶段应进行哪些专门性工程地质问题勘察或补充勘察,应根据每个工程的具体情况确定,也和地质条件的复杂程度有关。

8.2.2 本条列举了在水库蓄水过程中,水库区可能发生的专门性工程地质问题及其勘察内容。

一般大型水电工程,库区多处于地广人稀的高山峡谷之中,工作条件差,或受地质环境及其水文地质、工程地质条件复杂等因素影响,使库区的前期勘察深度和精度难免存在一些不够完善处或盲点。水库蓄水后,库区水文地质、工程地质条件发生明显变化,在水库首次蓄水期和初蓄期(指首次蓄水后的头三年),甚至在水库运行多年后,或多或少会发生一些因水库蓄水诱发的水文地质、工程地质问题。且水库蓄水诱发的水文地质、工程地质问题发生的时间和地点随机性强,问题的复杂程度和对工程与环境的影响危害程度不一,因此,其专门性工程地质问题勘察和后续的工程处理投入差异较大。

8.2.3 水库移民安置实施规划设计,涉及面广、社会制约因素多、政策性强。大型水电工程的水库移民安置实施规划设计一般以勘测设计单位为主负责编制,而其实施则一般由业主委托当地政府部门为主进行。本条规定了水库移民安置实施过程中实施规划设计选定的移民集中安置点存在场地整体稳定性、安全性不良地质问题时,负责编制水库移民安置实施规划设计的勘测设计单位应进行补充勘察。

8.2.4~8.2.6 这几条列举了枢纽建筑物布置区施工期可能发生的专门性工程地质问题的补充勘察内容。

枢纽建筑物布置区施工期的专门性工程地质问题补充勘察常难以避免。施工开挖揭露的一般性不良地质问题和不良地质现象,可通过日常施工地质工作与设计配合、结合施工开挖研究处理。但有时也会遇到一些意外的事先没有查明或研究深度不够的复杂地质问题,导致建筑物布置区工程边坡及其毗邻的天然边坡、建筑物地基、地下洞室围岩等的设计地质条件发生变化,引起建筑物位置移动,或导致建筑物必须进行结构性调整,或边坡、地基、围岩的设计工程处理措施和处理工程量发生较大变化,或严重危害施工安全等问题时,应进行专门性工程地质问题补充勘察。

8.2.7 条文中对专门性工程地质问题的勘察方法所做的原则性规定,是针对本阶段专门性工程地质问题均应做出确切结论,勘察及其分析工作要求做深做透,勘察工作与施工有干扰和有开挖工作面揭露的地质现象及其监测、检测资料可利用等特点提出。在充分利用开挖工作面观察收集地质情况,利用监测、检测资料,进行综合分析的同时,应进行工程地质测绘和勘探、试验。

8.2.8 施工详图设计阶段专门性工程地质勘察报告要根据工程存在的实际地质问题确定,工程中存在什么地质问题,并进行了相应的专门性勘察,就应编写什么内容的专题报告。条文对专题报告正文的内容做了一般性规定。

8.3 施 工 地 质

8.3.1 本条规定了水库区施工地质工作的内容。水库蓄水过程中应在围堰挡水、大坝拦洪度汛、下闸蓄水和达到设计蓄水位时,定期进行地质巡视,收集分析发生的地质现象,对水库蓄水过程中可能诱发的影响水库正常运行、居民生命财产安全等灾害性地质现象和征兆应高度重视,提出地质建议,必要时应进行专门性工程地质问题勘察。

8.3.2 本条规定了枢纽建筑物布置区施工地质工作的 6 款内容。这些内容是根据施工地质工作在水电工程建设中的作用和生产实践经验确定的。其中编录和测绘建筑物地基、围岩、工程边坡的地质现象、分析与地质有关的监测和检测资料是基础性工作。通过地质编录和监测、检测资料分析,可收集到前期勘察无论多么详细也不可能得到的许多宝贵资料;可验证前期勘察成果;可预测不良地质现象,并可根据具体情况,确定是否需要进行专门性工程地质问题补充勘察;可对建筑物地基、围岩、工程边坡的设计加固措施与施工方法提出建议;可为工程验收和运行期研究有关问题提供地质资料。

8.3.3 施工期对天然建筑材料进行复核,主要验证开采产地的天然建筑材料质量与储量,及其开挖边坡稳定性。

8.3.4 从工程破土动工开始,随着工程开挖的不断进行,岩土体固有的面目逐渐暴露,相应的支护加固处理等工程措施亦在逐步实施,天然地质环境及其水文地质、工程地质条件发生改变,新的地质环境及其水文地质、工程地质条件在动态过程中逐步形成。因此,要求施工地质工作应随工程施工进度,全过程进行动态的地质分析,及时向设计部门反馈经过修正或核定的地质资料,施工地质工作的主要方法是采用地质巡视、观察、素描、实测、摄影和录像,以及必要的补充勘察试验和分析研究等。施工地质工作应及时准确,力求全面记录施工期揭露和发生的主要地质现象和不良地质问题的处理情况。在进行摄影、录像编录时,宜应用数码摄影、录像编录技术。

8.3.5、8.3.6 施工地质资料,包括施工地质过程中的原始资料,是工程设计和建设的重要基础性技术资料,特别是当工程施工和运行期间出现异常现象,需要分析和查询其原因时,施工地质资料是重要的依据。竣工地质报告应突出论述枢纽建筑物布置区各建筑物施工开挖揭露的实际地质情况,以及地基、围岩、工程边坡加固和不良工程地质问题处理情况等;水库区则应重点论述水库蓄水过程中发生或可能发生影响水库正常运行、危及居民生命财产和重要公用设施安全的地质现象及其工程处理情况等,并应与前期勘察成果进行对比分析,总结经验教训。

9 抽水蓄能电站工程地质勘察

9.1 一般规定

9.1.1 我国大型抽水蓄能电站的站点普查与工程地质勘察始于20世纪60年代,已建、在建工程已近20项,开展前期勘察工作的已有五六十项,选点规划站址更多。数十年的工程实践经验表明,虽然抽水蓄能电站的水库、挡水坝、输水系统和厂房等工程地质勘察一般可遵循常规的水电工程地质勘察技术标准,但因主要工程建筑物的特点致使其工程地质勘察具有特殊性。就水库、坝而言,要考虑:上水库库盆渗漏及其防渗问题,水库水位骤升骤降引起的库内岸坡稳定问题,水库库盆开挖与筑坝材料的挖填平衡问题,位于较强地震区的高山水库的地震效应问题等;就输水系统、厂房而言,要考虑:深埋地下洞室群的围岩稳定与地应力场问题,地下洞室的围岩与衬砌承受高外水压力问题,压力水道围岩分担高内水压力问题等。鉴于抽水蓄能电站具有上述特点,故而编写本章内容。

9.1.2 抽水蓄能电站开展选点规划工程地质勘察之前需进行普查。根据电网布局与区域电力发展的需要确定普查范围,采用经内业初步分析筛选后的站址进行地形、地质条件复核,从中选出地理位置及地形地质条件合适的站址进行现场查勘,查勘中应注重了解下列地形、地质条件:

(1)站址具备利用天然落差的地形和较小的距高比,输水道总长 L 与水头 H 的比值一般不宜大于10,最好小于5。若上、下库之间山体边坡过陡,应初步了解与分析边坡稳定问题。

(2)站址布置上水库有合适的盆地、凹地、较大冲沟或有扩展库容的地形,站址下水库附近应有可靠的补充水源。

（3）上水库可能导致库水外渗的地质缺陷与防渗措施的可能性。

（4）输水线路沿线应避开活动断裂与滑坡体和可能失稳山体。

（5）布置高压输水道的山体，应能承受高内水压力，山体厚度不宜小于 0.6 倍水头。

（6）站址不宜选在地震动峰值加速度≥0.4g，地震基本烈度≥Ⅸ度的强震区。

9.2 选点规划阶段工程地质勘察

9.2.1、9.2.2 选点规划工程地质勘察主要任务是比选站址、推荐近期开发站址。本阶段工程地质勘察应达到的技术要求是：初步评价区域构造稳定性；初步分析上、下库成库、建坝的可能性；初步了解地下工程成洞、建厂的可能性，以及站址区附近天然建筑材料的赋存情况。

9.2.4 水库渗漏是上、下水库重要的工程地质问题之一，应注意调查可能引起库水渗漏的水库周边低矮垭口、单薄分水岭、古河道、规模较大的断裂等地形地质条件。如遇岩溶化岩层分布，尚需了解岩溶地貌形态发育状况，岩溶泉及暗河、溶洞地下水的分布与连通情况。

库水位频繁升降是抽水蓄能电站水库运行的特点，因此，条文强调了应重视对水位变幅带库岸稳定性的分析。

对已建水库，尤其应重视大坝的防渗设计、施工和运行期的渗漏情况。

9.2.5 根据抽水蓄能电站的特点，应注重隧洞沿线的地形条件，条文规定了应初步判断高压水道段上覆岩土体厚度及其稳定性（一般应用挪威上抬理论的经验准则），布置调压井的地形条件等。

9.2.6 抽水蓄能电站的天然建筑材料普查勘察除应遵循相关的技术规程外，还应注意优先库内取料、渣料利用、挖填平衡的原则。渣料利用的评价，也应满足天然建筑材料普查的技术要求。

9.2.7 本阶段应以地质测绘和物探、轻型勘探工作为主。对近期推荐工程,应考虑钻孔和平洞勘探,平洞布置应视地质条件的复杂程度而定。

9.2.8 工程地质勘察报告(篇、章)编制内容,可参照本规范规划阶段报告的编制要求,根据各规划地区范围各站址的主要工程地质问题的具体情况有所侧重,也可适当增减、调整。各项勘察成果需整理归档。

9.3 预可行性研究阶段工程地质勘察

9.3.1、9.3.2 预可行性研究阶段工程地质勘察,主要任务是针对选点规划推荐的近期工程,论证上水库(坝)、输水发电系统、下水库(坝)等主要建筑物的工程地质问题,评价站址成立的工程地质条件可靠性。对枢纽工程各组合方案需作初步比较,重点在推荐的代表性枢纽工程组合方案上进行勘察。本阶段工程地质勘察应达到的技术要求是:对工程场地的构造稳定性和地震安全性做出评价;初步查明与评价站址枢纽工程代表性方案的工程地质条件,初步评价各比较方案;天然建筑材料勘察应达到初查深度。

9.3.3 丘陵地区,上水库有时修建在孤立山顶的夷平面上,存在高山地震放大效应问题,因此条文规定需开展上水库地震高山动力效应的研究工作。

9.3.4~9.3.6 抽水蓄能电站的"水库、坝"应作为一个整体工程考虑,水库、坝的工程地质条件是预可行性研究工程地质勘察工作的重要内容。

抽水蓄能电站一般上、下水库的库容较小,面积不大(利用已有水库或天然湖泊除外),且上、下水库的水量反复使用,同时库水位日变幅较大。因此,对于水库区的水文地质条件,库周及库底可能渗漏地段,水库周边岸坡稳定性和水位频繁变动带的特殊影响等主要工程地质问题分析研究要求较高,除需满足常规电站勘察技术要求外,尚应满足这几条条文规定的勘察内容。

上水库时常利用沟源地形,主坝修建在沟谷斜坡地形上,所以条文强调了需重视对斜坡坝址坝基稳定性的勘察。

水泵水轮机对库水水质清洁的要求较高,因此,对于水库区周边的泥石流现象及可能产生固体径流的地质体的调查也是不可或缺的。

抽水蓄能电站位置多在负荷中心附近,对人文景观、自然景观、生态环境保护要求较高,分析水库蓄水后可能引起的环境地质变化,对水库区及其外围水体水质、环境保护的影响,也是构成影响工程建设的条件。

9.3.7 抽水蓄能电站上、下水库主坝、副坝坝址区工程地质的勘察方法和勘探布置可等同常规水电站坝址区的勘察方法与勘探布置原则。鉴于抽水蓄能电站的特点,条文着重强调了水库周边及库盆水文地质条件的勘察。

9.3.8、9.3.9 抽水蓄能电站输水发电系统的线路选择是工程地质勘察的重要内容,初步查明线路工程地质条件,是评价工程建设可能性的重要依据。通过本阶段的各项勘察,应对输水发电系统线路分段描述围岩稳定条件。有条件时进行初步围岩工程地质分类和地下工程岩体分级。

由于抽水蓄能电站地下厂房一般采用深埋形式,所以勘探平洞一般较长,而目前勘察周期又较短,因此,有条件时,在本阶段应布置厂房勘探平洞。

为满足高压管道(岔管)部位最小上覆岩体厚度的要求,本阶段应初步查明压力管道地段上覆或侧向岩体厚度。上覆或侧向岩体厚度应从覆盖层和全、强风化及强卸荷岩体以下算起。

9.3.10 抽水蓄能电站常利用已建水库或天然湖泊作为上、下水库,对已建水库,可在收集已有资料基础上进行必要的补充勘察,以满足本阶段精度要求,对堤、坝改扩建,天然湖泊作为上、下库时,需进行专门地质勘察。

9.3.11 天然建材料初查需在普查的基础上进行,应充分考虑库内料场与施工开挖渣料的利用,并与设计配合开展必要的筑坝材料试验研究。

9.3.12 本条规定了预可行性研究阶段地质勘察报告的编制要求。鉴于工程地质勘察成果作为一章(篇)编入可行性研究报告,故预可行性研究阶段全部勘察成果资料应另行整编归档。

9.4 可行性研究阶段工程地质勘察

9.4.1 抽水蓄能电站有上、下两个相互关联的水库,站址对地形条件的要求区别于常规水电站。可行性研究阶段勘察一般在预可行性研究勘察的站址上进行。本条规定了可行性研究工程地质勘察的目的。

9.4.2 本条规定了可行性研究阶段工程地质的勘察内容。在预可行性研究推荐的代表性方案基础上,通过对各比较方案进行必要的勘察工作,确定开发方案,并需查明初定方案各建筑物的主要工程地质问题。

9.4.3～9.4.9 根据抽水蓄能电站工程的特点,条文规定了上、下水库及其坝址需要查明的主要工程地质问题和勘察方法。

按水文地质条件,上水库可划分为三类,其基本特征是:

一类上水库的基本特征:具备天然库盆的地形地貌特征,水库周边地下分水岭一般高于水库正常蓄水位,水库周边挡水岩体雄厚且透水性微弱,成库条件好,一般有一定量的天然径流入库,自然状态下水库永久渗漏量基本在设计允许范围内。一般不做防渗或只做局部防渗就可形成上水库。

二类上水库的基本特征:基本具备天然库盆的地形地貌条件,部分库岸地段地下分水岭低于水库正常蓄水位,一般挡水岩体雄厚且透水性微弱,只有少量天然径流入库,但水库局部地段存在透水构造带等,渗漏比较严重,自然状态下水库永久渗漏量大于设计允许范围,一般需要做半库盆防渗或较大范围的垂直防渗才能形成上水库。

三类上水库的基本特征:一般库区地形地貌较复杂,有时为山顶台地,自然状态下成库条件差,一般少有或无天然径流入库,存在地形垭口且多数库岸地段地下分水岭低于水库正常蓄水位或库底,库周挡水岩体较单薄且透水性强,水库岸坡发育通向库外的断裂构造,垂向和侧向渗漏均较严重。一般需要做全库盆防渗才能形成上水库。

上水库一般天然库容较小,为了扩大有效库容,库区开挖往往形成较大范围的人工边坡,改变了自然边坡的应力应变状态,易于产生边坡失稳。

上水库运行周期短,一般 24 小时内就完成一次甚至多次抽水-发电的循环过程,库水位快速升降,变幅较大,使库岸边坡处于恶劣的工作环境中。对于透水边坡,动水压力对边坡稳定影响很大。

库盆开挖后的库岸分水岭往往比较单薄,有时类似于天然堤坝。需要按挡水坝的要求进行勘察和研究岸坡岩体向库外的抗滑稳定性。

抽水蓄能电站下水库主要有以下几种类型:利用已有水库改建成下水库,可能需要进行拦河坝加高、加固、水库防渗,以及因水位抬高引起的渗漏、库岸稳定及浸没等相关水库问题。

在河流上修建的下水库,一般需要设置拦河坝、拦沙坝和泄洪排沙洞等建筑物。泄洪排沙洞进水口布置于拦沙坝上游,出水口位于下水库拦河坝下游,需要分别查明其工程地质条件。

在非河流地段修建的下水库,其工程特点类似于上水库,但较上水库所处地势低,有时设置有水库放空洞。必要时需进行补水水源的调查。

利用天然水体作为下水库,主要包括天然湖泊、海洋等。在北方干旱地区修建的下水库,一般存在水库补水的问题,应根据设计要求进行补水工程的勘察。

本次修订时,增加了 9.4.7 条,规定了固体径流的勘察内容和方法。

9.4.10 厂房系统主要包括厂房、主变室、岔管、母线洞、交通洞、通风洞、出线竖井及出线洞等地下建筑物。抽水蓄能电站厂房多数为地下厂房,按厂房在输水发电系统中的位置分为首部、中部、尾部等几种枢纽布置形式。工程地质勘察应结合枢纽布置形式进行。

由于厂房地下洞室埋藏较深,所以厂房区工程地质测绘范围应适当扩大,一般可结合工程区水道隧洞系统的地质测绘进行。对选择厂房位置地段应主要根据勘探洞所揭示的地质资料,结合地质测绘和钻探资料,绘制厂房区不同高程的地质平切图。一般以勘探平洞高程地质平切图为基础,绘制厂房顶拱高程、厂房岩壁梁拱座高程、安装场高程及厂房底板高程等平切图。

地下厂房长探洞是多用途的勘探洞,施工期还可作为通风或排水加以利用。勘探洞的洞口位置、长度、方向及高程的选择是很重要的:当勘探洞口位于下水库库区内时,为避免水库的影响,洞口高程最好高于下水库正常蓄水位。探洞布置应以有利于揭示厂房区更多的岩层和断裂带、便于查明厂房围岩条件以及有利于洞内其他勘探工作的开展及不影响未来厂房洞室的稳定等因素为原则。当地形条件不允许时,也可考虑开挖斜探洞。厂房勘探平洞一般可布置于厂房顶拱以上30m附近,也可根据围岩的允许水力梯度,确定勘探平洞的布置高程。

岩体变形试验包括铅直方向和水平方向变形试验,垂直层理方向和平行层理方向的变形试验;对于设置岩锚梁的地下厂房,进行少量的岩体抗剪试验是很必要的,抗剪试验包括结构面抗剪试验、岩体抗剪试验及混凝土与基岩接触面的抗剪试验等。

厂房区地下水动态观测是整个工程区监测工作的组成部分,应进行一个水文年以上的长期观测。

9.4.11 输水系统的上、下水库进、出水口分别位于上水库和下水库岸边,底板开挖高程较低。为避免工程开挖出现高边坡,进、出水口位置可选择在岸边凹地部位。

输水系统的压力管道较常规水电站一般承受更高的水头。通常布置为竖井或斜井,并有水平段和岔管。根据围岩的变形特性和抵抗高压水劈裂作用的岩体强度决定衬砌形式。

输水系统的闸门井和调压井等建筑物,多形成深井与洞室的立体交叉,更应重视评价其围岩的稳定性。

水压致裂法和高压管道的运行工况相近,因此,压力岔管部位地应力测试通常采取水压致裂法。岩体高压压水渗透稳定试验一般结合勘探钻孔进行。试验压力应不小于电站设计发电水头压力的 1.2 倍~1.5 倍。试验加压时间的长短可根据具体试验条件确定,宜尽量长一些。

9.4.12 选择水库开挖区作为天然建筑材料料场时,需配合施工和设计进行筑坝石料的挖填平衡专题研究。当料场储量系数较小时,应勘察备用料场。

9.5 招标设计阶段工程地质勘察

9.5.1 本条规定了抽水蓄能电站招标设计阶段勘察的场地和勘察目的。其勘察成果主要是满足工程招标和施工准备期的要求。

9.5.2 招标设计阶段应为工程区观测网、监测网和监测断面等的布置提供地质资料,重点包括水库及水道隧洞地段地下水动态观测网、边坡岩体变形观测网、地下工程围岩稳定监测断面等的地质资料。

9.5.3 抽水蓄能电站所涉及的专门性工程地质问题,与常规水电站相比,有些是共有的,有些是特有的。需要根据工程的具体情况,进行专门性工程地质问题的勘察研究。

9.5.4 招标设计勘察报告作为一个完整的阶段性报告,以可行性研究勘察报告为基础,并应反映本阶段的勘察成果。对各建筑物的工程地质条件和主要工程地质问题评价可在可行性报告结论的基础上提出肯定或修正意见。

9.6 施工详图设计阶段工程地质勘察

9.6.2 本条规定了抽水蓄能电站施工详图设计工程地质勘察的具体内容。主要是结合施工地质工作,调查和复核施工开挖岩面所揭示的工程地质条件,评价和处理有关工程地质问题。

附录 B 岩溶渗漏评价

B.0.1、B.0.2 虽然判断水库是否出现岩溶渗漏及其严重程度是一个很复杂的问题，但经过我国大量工程反复归纳、检验后得出：水库与坝基的渗漏均与地形地貌、地层岩性、地质构造、岩溶水和岩溶化程度有关，这四个条件也是四个最重要的标志。评价一个工程的岩溶渗漏时，这四个条件不是都应具备的，应按阶段和已有的资料逐次分析。

B.0.3 峰林山原泛指云贵高原面上的盆地、残丘坡地、丘峰溶原地貌；丘峰平原泛指桂东南孤峰残丘平原类地貌。在这类岩溶地貌区的河流多河曲，支流也发育，岩溶多期叠加发育，地下水浅埋，水力比降十分平缓，与邻谷间地下水分水岭低矮，故绕坝渗漏范围极易扩大。峰丛山地包括峰丛洼地、谷地与峡谷地貌。这类岩溶地貌区的河流深切后，一般为当地地下水的最低排泄基准面，两岸溶洞、暗河可多层发育，造成岩体透水的垂向不均一性，地下水埋藏深，水力比降较陡，两岸绕渗范围一般有限。从峰林山原向峰丛峡谷过渡的河段，易为河水补给地下水的水动力条件类型。有的有河床落水洞、暗河或伏流。后二者不一定是单一的岩溶管道，其周围总会有大小不一的溶缝。故在此类地段建坝，岩溶渗漏问题比较复杂。

地质构造条件中，当有断层切断隔水层，使上、下层可溶岩互相衔接沟通时，以往称为"构造切口"或统一的含水层，或一个含水层，这些均不确切，按系统理论则将不同成因造成的有统一水力联系的含水岩系称为"岩溶含水系统"。

以往提到的水文地质条件，涵盖内容较多，不够明确。其重要的标志是地下水位的高低。而地下水位的有无、高低，从区域水文地质资料分析,或调查是否有可靠的岩溶泉与适当的钻探即可判断,故第三条明确以岩溶水条件作为判断的标志之一。

过去对地下水分水岭低于库水位的,以及岸边有地下水位洼槽的就认为一定会产生渗漏,甚至是严重的渗漏。实际上,经过不少工程证明并不出现渗漏,有的仅为微不足道的缓慢渗漏。其原因是分水岭地带岩溶不发育。因此,地形地貌、地质构造、岩溶水条件仅是可能出现渗漏的充分条件,而最后一条岩溶化程度才是必要条件。

B.0.5 岩溶渗漏量的计算,由于渗透介质很复杂,蓄水后产生渗漏的流态也很复杂,故渗漏量的大小很难准确计算,只能估计,最主要的是确定是管道性漏水还是裂隙性渗漏。鉴于渗漏量的计算较复杂,故附录中未规定相应的计算公式,在实际运用中,可根据工程具体的岩溶水文地质条件,选择相对合适的计算公式;条文提出的允许渗漏量是根据河流实测流量所允许的误差为依据的。在实际应用中,还应考虑工程的经济效益。

B.0.6 岩溶渗漏处理往往工程量很大,为节省工程投资,应先区分渗漏产生的危害性:影响发电量而对工程安全无影响的则是防漏性质的处理,目的是为了减少渗漏量,故其实施原则是"减、缓、免";渗漏量虽小,但对工程安全有影响的则为防渗性质的渗控处理,除了帷幕之外,还有排水工程。防渗处理均需选择好最佳的防渗线路、范围、深度和面积。

附录 C 浸 没 评 价

C.0.1 本规范所研究的浸没问题是指由水库或渠道蓄水使得水库周边或渠道两侧潜水浸润线抬升逼近地面,导致土地沼泽化、盐碱化以及由此造成的农田减产、建筑物地基变形、居民区环境恶化等次生灾害或现象。非因修水库或渠道引起的类似问题,不属于本规范考虑范畴。

C.0.2 本规范所说的地下水位临界埋深,指不致引起浸没的允许地下水埋深。对农业区来说,临界地下水位埋深应控制在这样的深度:在多雨时期可以避免土壤过湿,使作物根须层土壤保持适宜的通气性;在干旱时期又可以借助土壤的毛管作用向根系供水,通常又把它称作适宜作物生长的地下水埋深。在干旱、半干旱地区以及其他地下水矿化度较高地区,地下水临界深度即防止土壤发生盐渍化所要求的最小地下水埋深。国内外多数资料认为:作物所要求的最小地下水埋深,一般沙质土为 0.60m～0.90m,黏性土为 0.10m～0.15m,在盐渍化地区,中等质地土壤的地下水位要求保持在 1.80m～2.20m 以下,表 2～表 5 列出我国一些地区的实验和实测资料。

表 2 上海及江苏地区麦田适宜地下水埋深和土壤水分

小麦生育阶段	播种出苗	分蘖前期	越冬	返青至成熟
适宜地下水埋深(m)	0.5 左右	0.6～0.8	0.5 左右	1.0～1.2
适宜土壤水分(田间持水量%)	75～90	70～90	70～90	70～90

表 3　上海及江苏地区稳固适宜地下水埋深和土壤水分

棉花生育阶段	苗期	蕾期	花铃期	吐絮期
适宜地下水埋深（m）	0.5～0.8	1.2～1.5	1.5 左右	1.5 左右
适宜土壤水分（田间持水量%）	75～90	70～90	70～90	70～90

表 4　我国部分地区几种作物所要求的最小地下水埋深（m）

地区	小麦	棉花	马铃薯	苎麻	蔬菜	甘蔗
长江中下游	0.5～0.6	1.0～1.4	0.8～0.9	1.0～1.4	0.8～1.0	0.8～1.4
华北	0.6～0.7	1.0～1.4	0.9～1.1	—	0.9～1.1	—

表 5　河南胜利渠灌区地下水临界埋深与地下水矿化度关系

地下水矿化度（g/L）	地下水临界深度（m）		
	沙壤土、轻壤土	中壤土	黏质土（包括土层中夹厚黏土层的情况）
<2	1.6～1.9	1.4～1.7	1.0～1.2
2～5	1.9～2.2	1.7～2.0	1.2～1.4

由此可见，地下水临界埋深与地区土的类型、水文地质结构、地下水的矿化度、气候条件、农作物的种类与生长期以及地区的排灌条件等因素有关，所以本规范规定应根据地区具体情况和当地农业科研单位的田间实验、观测资料和生产实践经验确定，也可以按本附录公式（C.0.2）计算求得。

C.0.3　地下水位以上土壤毛细管水上升带的高度是指野外条件下的毛细管水上升高度，与试验室测定的毛细管水上升高度有较大差别，而地下水位以上土壤含水量随深度变化的曲线可以较好地反映毛细管水上升带的实际情况。所以本条规定：地下水位以上，土壤毛细管水上升带的高度，可根据作物在不同生长期土壤适宜含水量和野外实测的土壤含水量随深度变化的曲线选取：

（1）在非盐渍化地区，可取毛细管水饱和带，即土的饱和度

(S_r)大于或等于80%的土层的顶部距地下水位的高度。因为饱和度大于或等于80%的土壤层,已不利于作物根系呼吸和生长。也可以根据适宜于作物生长的土壤水分确定。

(2)在盐渍化地区,应根据地下水位以上土壤含水量随深度变化曲线上毛细管水断裂点的位置和土壤含盐量分布及其动态变化以及地区的排水条件等情况确定。

(3)居民区可通过对地下水位以上土的含水量随深度变化曲线与水库蓄水前持力层土的天然含水量的对比确定。对重要大型建筑物有浸没问题应单独进行专门研究。

C.0.4 浸没评价一般分初判和复判两个阶段进行。初判与预可行性研究阶段勘察相对应,只进行水库蓄至正常蓄水位时的最终浸没范围的初步预测;复判对相应于可行性研究阶段和可行性研究阶段后的勘察。复判时,除复核水库正常蓄水位条件下的浸没范围外,还要根据需要计算水库运行规划中其他代表性运用水位下的浸没情况,并对其危害性做出评价。

附录 D 岩土体物理力学性质参数取值

本附录提出的岩土体物理力学性质参数有标准值和地质建议值两种。标准值是指试验成果经过分析整理、统计修正或考虑岩土体强度破坏准则等经验修正后的参数值,只反映岩土试件的特性;地质建议值是地质人员根据试件所在层位的总体地质条件,对标准值进行调整后提出的,使标准值更符合于岩土体所在的地质环境,具有更好的地质代表性,其目的是使参数的取值更加合理。设计采用值应在地质建议值的基础上,结合建筑物工作条件及其他已建工程的经验确定,也可根据有关设计规范的相关规定确定。

岩土体物理力学性质参数既反映岩土体客观存在的自然特性,也反映不同工程荷载作用下的力学性质。因此,进行岩土体力学试验时,要求所加的试验荷载要与工程附加给岩土体的实际荷载相同,从安全角度出发,试验荷载要大于工程荷载,其加载方向也要与工程施力的方向一致。

工程地质单元、区段或类别是根据工程场地内的岩性、地质构造、岩土体结构、风化程度和水文地质特征等具体工程地质条件的差别进行分区、分类,把工程地质条件相近似的地段或小区,划为一个单元、区段或类别。根据工程地质单元区段或类别进行选点、试验和整理的岩土试验标准值,能真实地反映试验值的代表性,消除离散性。

岩石物理力学性质试验应以室内试验为主,岩体力学性质试验宜以现场测试为主;土体物理力学性质试验应以室内试验为主,必要时进行现场测试。室内外两种测试成果可以相互验证,不作强制性规定。无论采用什么试验成果,在选择岩土体物理力学性质参数时,都应分析岩土体的结构、物质组成、构造破坏程度、风化情况、围压状态、水理性质、结构面状态及其延伸范围等具体地质条件，从岩土体的总体性状判断试验成果的地质代表性。

本规范规定的岩体和结构面抗剪断强度取值方法是根据岩体剪切破坏准则的概念提出来的，鉴于在剪应力与剪切位移关系曲线上确定比例极限和屈服极限的方法，目前尚无统一的方法，且有一定的随意性。因此，本次修订时规定，岩体及结构面抗剪断强度取峰值强度进行统计，岩体及结构面抗剪强度也可取二次剪（摩擦试验）的峰值强度进行统计。上述方法与国家现行标准《工程岩体试验方法标准》GB 50266—2013 和《水电水利工程岩石试验规程》DL/T 5368—2007 一致。但在实际试验过程中，试样可表现为塑性或弹塑性破坏，塑性破坏位移量较大，而大坝等水工建筑物地基不允许有大的变形，因此，规范也规定，地质建议值应考虑剪切破坏性状等因素确定，即应对峰值强度采取一定的折减。

根据多年来的水电工程实际情况，各类岩体现场试验组数较少，因此，本次修订时删除了概率分布的 0.2 分位值取值方法。当采用同一类别岩体试验成果整理时，利用优定斜率法的下限值较接近小值平均值，而用最小二乘法计算的值高于小值平均值，所以修订时也删除了利用最小二乘法计算的取值方法。

地质建议值是在试验成果标准值基础上，根据总体地质条件及剪切破坏性状等对标准值进行适当调整而提出。

上述取值方法，经二滩、溪洛渡、锦屏一级、大岗山、白鹤滩等工程大量试验证实，并经国内各工程二十几年的具体应用，认为合理可行。

荷载组合、边界条件和岩（土）体抗剪强度是控制坝基稳定的三项基本要素。混凝土坝的混凝土与建基岩体接触面及岩体内部的抗剪断强度和抗剪强度取值与设计理论、安全系数是配套一致的。因此，当采用极限（峰值）强度时，应取大的安全系数；采用比例极限强度、屈服强度时，应取小的安全系数，并分别与抗剪断强度和抗剪强度稳定计算公式相对应。

岩基允许承载力是反映岩基整体强度的性质,决定于岩石强度、岩体结构和岩体完整程度,以及围压效应。对于软质岩尚有长期强度的问题。因此,如何根据岩石饱和单轴抗压强度选取地基岩体的允许承载力,需根据具体的地质条件来确定。本次修订中,删除了原规范中的"坝基岩体允许承载力经验值"表,因为,按岩石饱和抗压强度和岩体完整性取值,没有考虑坝基岩体的围压效应,在实际应用过程中,较完整的坚硬岩体也会出现坝基岩体承载力不能满足建基要求的现象。事实上,根据工程经验,较完整的坚硬岩石,坝基岩体承载力一般能满足大坝的承载和变形要求。但为便于地质技术人员提出坝基岩体承载力,本次修订时,根据工程实际经验,参考有关规范,提出了按 $1/3 \sim 1/10$ 岩石饱和抗压强度的承载力取值经验范围值,具体取值需依据岩石强度、岩体完整性等具体的地质条件确定,一般完整岩体可取大值,完整性差的岩体取小值。条文中所指破碎岩体,一般指Ⅳ、Ⅴ类岩体。

本规范中所附的岩土体力学性质参数表,是以国内水利水电工程长期积累的岩土试验资料的统计值和经验值为基础提出的,不属于坝、闸的其他水工建筑物地基,可根据具体地质条件参照使用。至于坝基混凝土与基岩接触面的抗剪断强度值,随坝体混凝土后期强度的提高而提高,因此,可以提高其凝聚力值,其依据是岩滩、水口、池潭、白山、新丰江等水电站工程试验资料,试验成果见表6。

表6　混凝土强度与混凝土坝基接触面强度对比

工程名称	岩性	统计组数	混凝土标号 R	混凝土/岩石抗剪断强度		$K = \dfrac{c'}{R}$	K平均 (%)
				f'	c'(MPa)		
岩滩	微风化－新鲜辉长辉绿岩	1	150#	0.90	1.40	0.0933	8.32
		1	185#	1.24	1.30	0.0703	
		1	150#	1.21	1.25	0.0833	
		1	170#	1.45	1.46	0.0859	

工程名称	岩性	统计组数	混凝土标号 R	混凝土/岩石抗剪断强度		$K=\dfrac{c'}{R}$	$K_{平均}$（%）
				f'	c'（MPa）		
水口	新鲜黑云母花岗石	25	150# ～200#	1.53	1.12	0.0747～0.0560	6.54
池潭	微风化-新鲜流纹斑岩	2	150#	1.20～1.39	1.30	0.0867	8.67
白山	花岗岩	3	200#	1.19	2.40	0.1200	12.00
新丰江	花岗岩	—	200# ～250#	1.21	1.88	0.0940～0.0750	28.40

注：表中所列均为已建工程，所以其混凝土强度仍以混凝土标号表示。

土的抗剪强度不仅与土的粒径大小、颗粒形状、矿物成分、含水量、孔隙比等有关，还与土体受剪时土的排水条件、剪切速率及原始结构应力有关。在大坝坝体堆筑过程中，受土的排水特性、坝基土体加载渐进破坏机理以及变形的不均匀性对抗剪强度的影响。因此，土的抗剪强度宜取峰值强度小值平均值作为标准值；关于土的动力强度是增高还是降低决定于土的密实程度、颗粒级配、形状、定向排列、稠度以及振动应力和应变的大小、振动频率和历时，振动前土的应力状态等。因此，地震有效应力强度的选用，原则上应通过动力试验测定土体在地震作用下的抗剪强度，进行有效动力分析，测定饱和砂土的地震附加孔隙水压力，并采用地震有效应力强度。

土的抗剪强度不仅与土的粒径大小、颗粒形状、矿物成分、含水量、孔隙比等有关，还与土体受剪时土的排水条件、剪切速率及原始结构应力有关。在大坝坝体堆筑过程中，受土的排水特性、坝基土体加载渐进破坏机理以及变形的不均匀性等因素对抗剪强度的影响，土的抗剪强度宜取峰值强度的小值平均值作为标准值；对于具有流变特性的软土、膨胀土、软弱夹泥等,均应取流变强度作为标准值。

关于土的动力强度是增高还是降低决定于土的密实程度、颗粒级配、形状、定向排列、稠度以及振动应力和应变的大小、振动频率和历时,振动前土的应力状态等。因此,地震有效应力强度的选用,原则上应通过动力试验测定土体在地震作用下的抗剪强度,进行有效动力分析,测定饱和砂土的地震附加孔隙水压力,并采用地震有效应力强度。

D.0.1、D.0.4 条文分别对岩石(体)和土体的物理力学性质参数取值总体原则与试验成果整理方法做出了规定。表 D.0.1-2 中的岩块岩屑型、岩屑夹泥型、泥夹岩屑型、泥型,其黏粒(粒径小于0.005mm)的质量百分率分别为少或无、小于 10%、10%~30%、大于 30%。

附录 E 移民集中安置点场地稳定性和适宜性分类

E.0.1 在水电工程移民安置实际工程中,场地的稳定性评价一般在工程预可行性研究阶段进行,其评价结论作为工程是否可行的直接依据之一。水电工程移民安置工作一般为先初步分析移民数量和移民安置环境容量,分析移民安置的条件,研究提出移民安置的去向,初拟移民安置方案,通过踏勘初拟移民集中安置点后,在搜集已有资料和地质测绘与调查等基础上,就需要给初拟安置点进行场地稳定性初步评价,存在特殊地质问题时,再采取勘探、测试等手段进行有针对性的勘察。因而,场地的稳定性评价刚开始点多而散,但需要把场地可能存在的地质问题考虑全面一些,以定性评价为主,为移民安置实施做好前期准备工作,避免后期被动,同时减少人力、财力、物力的浪费。

本附录结合水电工程移民安置工程的特点提出了场地的稳定性评价要素,参照现行行业标准《城乡规划工程地质勘察规范》CJJ 57有关规定,对稳定性划分采用了四级划分方案。

E.0.2 区域构造稳定性分级评价标准参照了现行行业标准《水电水利工程区域构造稳定性勘察技术规程》DL/T 5335 有关规定,该规程目前正在修订,因此,本次修订引用时对区域构造稳定性分级做了调整,与场地稳定性分级相一致,采用了四分法。

E.0.3 抗震地段类别对于场地稳定性和地震效应的破坏程度判别具有极为重要影响。由于不同岩土构成的相同地形地貌条件时的地震影响是有差异的,因此,在抗震有利、不利和危险地段判别时,应当把地形、地貌、地质条件一起进行综合评价。移民集中安置点主要为工业民用建筑,本条采用了现行国家标准《建筑抗震设计规范》GB 50011 的有关规定,而未采用现行行业标准《水工建筑物抗震设计规范》DL 5073 的划分标准。

E.0.4 场地工程建设适宜性主要是从工程地质的角度考虑拟建场地是否适宜于建筑,场地的适宜性要以场地稳定性为基础,还要考虑工程建设和使用所付出的代价,从工程地质角度来说主要是地形地貌、地下水、地基条件、交通及给水、排水条件等。本附录中的"次生地质灾害"是指工程建设后产生的滑坡、崩塌、泥石流、塌陷、地面沉降、地裂缝、化学污染等。

附录 G　岩体风化带划分

G.0.1　岩体风化分带采用国内外通用的 5 级分类法。风化是一种仍持续进行的地质作用,在鉴定和描述岩体风化作用的产物时,仍应以地质特征为主要标志。这些地质特征主要是:新鲜岩石和风化岩石的相对比例、褪色度、分解和崩解的程度,矿物蚀变及其次生矿物等,间接标志如锤击反应、波速变化也是重要的辅助手段。

G.0.2　由于各地气候条件、原岩性质和裂隙发育情况差异很大,导致岩体风化程度和状态的变化极为复杂,因此,提出 3 款风化带划分调整意见,以适应不同地域和不同情况下的应用。对碳酸盐岩的风化,在本次修订中提出了专门的划分方案。

G.0.3　本条是本次修订新增的条款。碳酸盐岩风化以化学风化为主,所形成的地表风化带与一般岩体风化带存在一定差异,因此本次修订时,对碳酸盐岩的风化带的划分做了专门的规定。

　　碳酸盐岩的风化分带性较明显,且具有不连续和裂隙性风化的特点。表 G.0.2 主要规定了地表溶蚀风化带的划分,裂隙性风化可据此确定风化程度。根据工程实际情况,坝基等主要利用其弱溶蚀风化带(中等溶蚀风化带)以下岩体,故表 G.0.2 按 3 个带划分考虑,其中弱溶蚀风化带(中等溶蚀风化带)又分上、下两个亚带,主要以溶蚀裂隙或溶蚀层间夹层宽度进行划分,必要时也可做多个亚带的划分。

　　白云岩尤其是角砾状的泥质白云岩,其原生和次生隐裂隙发育,钻探时岩心呈砂状且采取率低,较难鉴定风化状况,需借助平洞、开挖或钻孔波速和完整性系数进行溶蚀风化带划分。

附录 H 岩体卸荷带划分

卸荷是岩体地应力差异性释放的结果,表现为谷坡应力降低、岩体松弛、裂隙张开,其中裂隙张开是卸荷的重要标志。在进行卸荷带划分时,仍以地质特征为主要标志。包括裂隙发育密度、张开宽度及次生充填情况;此外,弹性波速的变化也是重要的辅助手段。

对于浅表岸坡地带正常岩体卸荷带的划分,根据已有工程经验,按两级进行划分,但若卸荷作用不强烈,可只划分一个卸荷带。深卸荷是一种较为特殊的卸荷形式,一般与岸坡正常卸荷带之间有相对较完整的未卸荷岩体相隔,卸荷裂隙中一般少有充填物。

附录 J 边坡稳定分析

影响边坡稳定的自然因素和人为因素较多。根据水电工程常见失稳边坡的经验,除降雨、地震作用造成边坡失稳外,不合理的开挖方式和水文地质条件的改变,破坏边坡原有的平衡状态占大多数,为此提出一些需要进行边坡稳定分析的坡体特点和要求。

边坡变形破坏分类表(表 J.0.2),列出了我国常见的边坡破坏类型,便于判断边坡变形破坏机制,选择边坡稳定的分析方法。

边坡稳定的分析方法,本规范只列出了通用的几种方法,仍是极限平衡稳定分析方法的范畴。但极限平衡稳定分析方法不适用倾倒边坡的稳定性计算,且目前尚无成熟的理论,规范建议采取数值分析的方法进行稳定分析计算。

表 J.0.5 是本次修订新增的内容。近年来的工程实践表明,工程开挖区外围自然边坡的稳定问题如危岩体、危石、变形体等的稳定也是影响工程安全的重要工程地质问题之一,因此修订中对建筑物周边自然边坡的浅表层潜在不稳定体的工程地质评价和处理也做了具体的规定。

附录 K 环境水对混凝土腐蚀评价

环境水主要是指天然地表水和地下水,其水化学成分是在循环与滞留过程中,由于溶滤和生物等作用形成的。在我国水电工程中,固态与气态介质直接腐蚀混凝土的情况很少,往往以水溶液的形式对混凝土起腐蚀作用。故本规范仍以环境水对混凝土的腐蚀进行评价,按环境水中各成分对混凝土腐蚀进行分类。

K.0.1 表 K.0.1 中的腐蚀程度是指混凝土在没有防护的条件下,水对其所产生的破坏程度,以混凝土使用一年后的抗压强度与其养护 28d 的标准抗压强度相比较,按强度降低的百分比划分为无腐蚀、弱腐蚀、中等腐蚀与强腐蚀四个等级。

K.0.3 表 K.0.3 是按环境水的化学成分对混凝土的腐蚀性划分为分解类、结晶类和分解结晶复合类。

水中某些化学成分使混凝土表面的碳化层与混凝土中固态游离石灰质溶于水,降低了混凝土毛细孔中的碱度,引起水泥结石的分解,导致混凝土的破坏,此为分解类腐蚀,如溶出型、一般酸性型与碳酸型腐蚀。

由于水中某些离子与混凝土中的固态游离石灰质或水泥结石作用,形成结晶体而使体积增大(如生成 $CaSO_4 \cdot 2H_2O$ 时体积增大 1 倍,生成 $MgSO_4 \cdot 7H_2O$ 时体积增大 4.3 倍),从而产生膨胀压力导致混凝土的破坏,此为结晶类腐蚀,如硫酸盐型腐蚀。

水中含某些弱碱硫酸盐,如 $MgSO_4$、$(NH_4)_2SO_4$ 等,即使混凝土发生分解,也使混凝土中形成结晶体,从而导致混凝土的破坏,此为分解结晶复合类腐蚀,如硫酸镁型腐蚀。

环境水腐蚀混凝土时各离子间是相互影响的,然而其中某些离子起着主要作用,本附录表 K.0.3 以一种离子进行评价。表

K.0.3 中界限指标是综合了国内外标准,选择适合我国水电工程的情况而编制的。说明如下:

(1)碳酸型腐蚀的判定有两种方法,即按游离 CO_2 含量与侵蚀性 CO_2 含量进行评价。一般认为用游离 CO_2 含量计算烦琐,且不一定很精确,而用侵蚀性 CO_2 含量可直接测得并进行判别。因此本次修订时将 K.0.3 中的游离 CO_2 含量修改为侵蚀性 CO_2 含量。

侵蚀性二氧化碳是指超过平衡量并能与碳酸钙起反应的游离 CO_2。地下水中含有 CO_2,CO_2 与混凝土中的 $Ca(OH)_2$ 作用,生成碳酸钙沉淀,化学式为:$Ca(OH)_2 + CO_2 = CaCO_3 \downarrow + H_2O$。由于 $CaCO_3$ 不溶于水,它可填充混凝土的孔隙,在混凝土周围形成一层保护膜,能防止 $Ca(OH)_2$ 的分解。但是,当地下水中 CO_2 的含量超过一定数值,超量的 CO_2 再与 $CaCO_3$ 反应,生成重碳酸钙 $Ca(HCO_3)_2$,并溶于水,即:$CaCO_3 + H_2O + CO_2 \leftrightarrow Ca^{2+} + 2HCO_3^-$。上述这种反应是可逆的:当 CO_2 含量增加时,平衡被破坏,反应向右进行,固体 $CaCO_3$ 继续分解;当 CO_2 含量变少时,反应向左移动,固体 $CaCO_3$ 沉淀析出。如果 CO_2 和 HCO_3^- 的浓度平衡时,反应就停止。所以,当地下水中 CO_2 的含量超过平衡时所需的数量时,混凝土中的 $CaCO_3$ 就被溶解而受腐蚀,这就是分解类腐蚀。将超过平衡浓度的 CO_2 叫侵蚀性 CO_2。地下水中侵蚀性 CO_2 愈多,对混凝土的腐蚀愈强。地下水流量、流速都很大时,CO_2 易补充,平衡难建立,因而腐蚀加快。另一方面,HCO_3^- 离子含量愈高,对混凝土腐蚀性愈弱。

(2)目前国际上普遍认为混凝土对于酸类腐蚀作用的抵抗性与混凝土的抗渗性有关,几乎不受水泥品种的影响,国内有关单位也有同样看法。故本规范对分解类与分解结晶复合类腐蚀性指标不考虑水泥品种的差异。对结晶类腐蚀则将水泥品种分为抗硫酸盐水泥与普通水泥两大类。

(3)国内很多资料认为,氯离子的大量存在是降低环境水对硫酸盐腐蚀作用的一个有利因素,但也有人认为在氯离子含量很高或是硫酸根离子和氯离子含量都很高的情况下,不但不减轻硫酸盐对混凝土的腐蚀,相反,氯离子还会产生对混凝土的腐蚀。孰是孰非难以定论。我们对一些国家标准进行分析,一般在20世纪60年代以前都考虑氯离子,20世纪70年代以后对硫酸盐腐蚀都没有规定氯离子的浓度,如苏联1973年、法国1985年、西德1969年以及我国《岩土工程勘察规范》GB 50021等标准。为此,我们对氯离子浓度也不做规定。环境水对混凝土的腐蚀除化学作用外,还有机械、物理作用的影响。气候条件起着加速或延续介质对混凝土的破坏作用。在不同气候条件下,腐蚀介质对混凝土的腐蚀作用是不同的,如硫酸盐型腐蚀,在寒冷的气候条件下,其腐蚀能力加强;而其他类型的腐蚀性,则在炎热气候条件下腐蚀能力加强。干湿交替、冻融交替等将引起物理风化,也会加速介质对混凝土的腐蚀作用。由于我国幅员辽阔,各地气候差异很大,要制定一个全面具体的标准是困难的,所以只能限定适用的气候区。

关于建筑物的使用条件(是否受水压等),罗马尼亚1983年标准和苏联1954年标准中指出,如果两种单侧的流体静水压力作用于构件,其水压梯度即水压力(m)与构件厚度(m)之比大于5,构件被认为受到了压力。在实践中往往把承受水头的混凝土建筑物认为是受水压的建筑。故本规范在确定腐蚀性界限指标时,仍考虑了受水压情况。承受水压可作为评价腐蚀性的不利条件,故对不承受水压的建筑物,表 K.0.3 中的界限指标相对高了些。

K.0.4 混凝土的质量是评价其腐蚀性的重要条件。一般来说,混凝土越密实,抗渗标号越高,其耐腐蚀性越好。为了统一判别标准,条文中对混凝土的抗渗等级、水灰比做了规定。

附录 L 围岩工程地质分类

L.0.1 围岩工程地质分类是对地下工程岩体工程地质特性进行综合分析、概括及评价的方法，是对相当多地下工程的设计、施工与运行经验的总结，故分类的实质是广义的工程地质类比，目的是对围岩的整体稳定程度进行判断，并指导开挖与系统支护设计。当存在特定软弱结构面的不利组合，影响围岩的局部稳定性时，则应采取特殊的加固处理措施。

本规范提出的围岩工程地质分类参考了现行国家标准《工程岩体分级标准》GB 50218 的有关规定，并结合 20 世纪 80 年代以来我国已建、在建的数十个大型地下工程的实际分类编制的。十余年来，该分类方法已广泛成功地应用于我国水电、水利地下工程的勘察与设计中。

L.0.2 地下洞室围岩初步分类属于宏观判断性质的分类，适用于工程地质资料较少的规划、预可行性研究阶段。初步分类主要依据反映围岩，坚固性质的岩质类型和完整程度的岩体结构类型，而地下水状况对较完整的硬质岩质量影响不大，仅作为限定判据用于对软质岩及较破碎的硬质岩的分类。

"镶嵌结构"和"块裂结构"，其完整程度一致，但岩块间结合程度不同，镶嵌结构岩块嵌合紧密，而块裂结构岩块间有泥质物或岩屑充填，结构松弛，二者的工程地质性状差别大，必须区分。

L.0.3 岩质类型划分和现行国家标准《工程岩体分级标准》GB 50218 一致。

L.0.4 岩体完整程度是根据本规范附录 R 中的岩体结构特征和现行国家标准《工程岩体分级标准》GB 50218 中有关"岩体完整程度的定性划分"的规定提出的。

L.0.5 围岩详细分类以岩石强度、岩体完整程度和结构面状态为基本因素，均为正值；以地下水状态和主要结构面产状为修正因素，均为负值。以上五项评分采用和差累计法，求出一个多因素复合指标——累计总评分，并考虑围岩应力状态，以围岩强度应力比为限定因素，最后综合判定围岩类别。

L.0.6 围岩强度应力比 S 值，是反映围岩应力大小与围岩强度相对关系的定量指标，提出这一限定判据，目的是控制各类围岩的变形破坏特性。Ⅰ、Ⅱ类围岩不允许出现岩爆或塑性挤出变形，要求 $S>4$；Ⅲ、Ⅳ类围岩只允许局部出现岩爆或塑性变形，要求 $S>2$，否则，围岩类别应降级。

L.0.7 围岩详细分类中岩石强度、岩体完整程度和结构面状态三项基本因素评分的权重分别为 0.3、0.4、0.3。考虑结构面状态是本围岩分类的特色，它是指地下洞室围岩内比较发育的、强度最弱的且对围岩稳定起控制作用的结构面的状态，包括张开度、充填物、起伏粗糙状况和延伸长度。

地下水和主要结构面产状两项修正因素均为负分。Ⅰ、Ⅱ类围岩水敏性不突出，地下水项扣分在 10 分以下；而Ⅲ、Ⅳ类围岩水敏性突出，地下水项扣分为 10 分～20 分。主要结构面产状指结构面走向与洞轴线夹角和结构面倾角两方面，关系最不利时可扣12 分。

对于大跨度、高边墙地下洞室，洞顶及边墙、端墙应分别进行评分。

附录 M 泥石流分类

泥石流是一种由于降水(降雨、冰川和积雪融化水),在沟谷或山坡上产生的挟带大量泥沙、块石和巨砾等固体物质的特殊洪流。一般洪流以水流为主,固体物质仅占总体积的 10% 以下,流体密度 $<1.3t/m^3$,堆积物具磨圆分选性,亦称水石流。

随着我国水电工程的建设重点逐渐向环境脆弱的西部转移,泥石流已成为影响工程建设和安全的一个重要工程地质问题。为便于对泥石流的工程地质分析评价,规定了泥石流的分类。泥石流的分类方法较多,本附录参照有关规范,列出了常用的三种分类方法。

M.0.1 泥石流是一种特殊的洪流,按流体性质分类,有黏性和稀性两类。山区沟谷洪水往往形成水石流,是一种常见的洪流。泥石流按流体性质分类是在现行行业标准《泥石流灾害防治工程勘查规范》DZ/T 0220 表 A.4 基础上略有修改。

M.0.2 泥石流规模分类系根据现行行业标准《泥石流灾害防治工程勘查规范》DZ/T 0220—2006 表 1 确定的。

M.0.3 泥石流按频率分类是参照现行行业标准《泥石流灾害防治工程勘查规范》DZ/T 0220,并考虑水电工程建设周期后确定的。在水电工程建设周期内会遇到的为高频泥石流,可能遇到的为中频,难以遇到的为低频。

附录 N 岩土渗透性分级

渗透性是岩土的一种主要的水力性质,为了便于对各种试验方法测定的岩土渗透性能的强弱进行统一描述,特制定本分级。实际工程应用中,可根据坝基岩体透水特性,结合坝基防渗标准,可将弱透水岩体按 1Lu～3Lu、3Lu～5Lu、5Lu～10Lu 等进一步划分。

渗透系数可通过室内试验和现场试验测定,其单位为 cm/s 或 m/d。

表 N 中各级渗透性分级所对应的岩体特征和土类只是典型的例子。在实际工作中,岩土的渗透性均应通过试验确定。

附录 P 土的渗透变形判别

土体在渗流作用下发生破坏,由于土体颗粒级配和土体结构的不同,存在流土、管涌、接触冲刷和接触流失四种破坏类型。

(1)流土:在上升的渗流作用下局部土体表面的隆起、顶穿,或者粗细颗粒群同时浮动而流失称为流土。前者多发生于表层为黏性土与其他细粒土组成的土体或较均匀的粉细砂层中,后者多发生在不均匀的砂土层中。

(2)管涌:土体中的细颗粒在渗流作用下,由骨架孔隙通道流失称为管涌,主要发生在砂砾石地基中。

(3)接触冲刷:当渗流沿着两种渗透系数不同的土层接触面或建筑物与地基的接触面流动时,沿接触面带走细颗粒称接触冲刷。

(4)接触流失:在层次分明、渗透系数相差悬殊的两土层中,当渗流垂直于层面将渗透系数小的一层中的细颗粒带到渗透系数大的一层中的现象称为接触流失。

前两种类型主要出现在单一土层地基中,后两种类型多出现在多层结构地基中。除分散性黏性土外,黏性土的渗透变形形式主要是流土。本附录土的渗透变形判定主要适用于天然地基。

由多种粒径组成的天然不均匀土层,可视为由粗、细两部分组成,粗粒为骨架,细粒为填料,混合料的渗流特性决定于占质量30%的细粒的渗透性质,因此对土的孔隙大小起决定作用的是细粒。

最优细粒含量是判别渗透破坏形式的标准。最优级配时,即粗粒孔隙全被细粒料充满时的细料颗粒含量为最优细粒含量,可由式(1)确定。

$$P_c = \frac{0.30 + 3n^2 - n}{1 - n} \qquad (1)$$

式中：P_c——最优细粒颗粒含量（％）；

n——孔隙率（％）。

试验和计算结果共同证明，最优级配时的细粒颗粒含量变化于 30％左右的不大范围内。从实用观点出发，可以认为细粒颗粒含量等于 30％是细料开始参与骨架作用的界限值。当细粒颗粒含量小于 30％时，填不满粗粒的孔隙，因此对渗透系数起控制作用的是粗粒的渗透性；当细粒颗粒含量大于 30％时，混合料的孔隙开始与细粒发生密切关系。

将许多级配不连续土的渗透稳定试验结果，根据破坏水力比降与细粒颗粒含量的关系绘成曲线，可得图 1 的形式，图中当 $P_c<25％$ 时破坏水力比降很小，仅变化于 0.10～0.25 之间，破坏水力比降不随细粒颗粒含量的变化而变化。这表明当 $P_c<25％$ 时，各种混合料中的细粒均处于不稳定状态，渗透破坏都是管涌的一种形式。当 $P_c>35％$ 时，破坏水力比降的变化随细粒颗粒含量的增大而缓慢增加，其值接近或大于理论计算的流土比降。

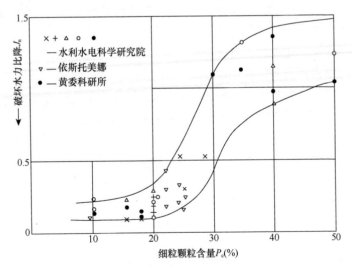

图 1　破坏水力比降与细粒颗粒含量关系曲线

这表明细粒土全部填满了粗粒孔隙，渗透破坏形式变为流土型。图1从渗透稳定试验方面进一步证明了最优细粒颗粒含量的理论是正确的，而且阐明了 $P_c > 25\%$ 以后，细粒开始逐渐受约束，直到 $P_c > 35\%$ 时细粒和粗粒之间完全形成了统一的整体。对于级配连续的土，同样可用细粒颗粒含量作为渗透破坏形式的判别标准，关键问题是细粒区分粒径问题，可用几何平均粒径 $d_r = \sqrt{d_{70}d_{10}}$ 作为区分粒径，有一定的可靠性。土的渗透系数经验近似计算公式为 $K = 6.3C_u^{-3/8}/d_{20}^2$，是考虑到 C_u 较容易获得，公式较实用。但根据近年的有关工程经验，其计算的结果误差较大。因此，规范推荐采用根据孔隙率 n 来计算。当缺少孔隙率试验数据时，也可按经验公式近似计算。

由于土颗粒组成有连续级配的土和不连续级配的土，此外土的密实程度或孔隙率对于临界水力比降的影响也是很明显的。因此，本附录针对上述情况，分别列出几种通用的判别方法，可根据土层的地质条件选择或进行综合比较。对于重要的大型工程或地层结构复杂的地基土的临界水力比降和允许水力比降应通过专门试验确定。

渗透变形的允许水力比降是以土的临界水力比降除以安全系数确定的，本附录提出的安全系数 1.5～2.0 是指一般情况而言的。通常流土破坏是土体整体破坏，对水工建筑物的危害较大，安全系数取 2.0，对于特别重要的工程也可用 2.5。管涌比降是土粒在孔隙中开始移动并被带走时的水力比降，一般情况下，土体在此水力比降下还有一定的承受水力比降的潜力，故取 1.5 的安全系数。

本次修订时，对双层结构地基的接触冲刷判别公式做了修改，将 $\dfrac{D_{10}}{d_{10}} \leqslant 10$ 改成 $\dfrac{D_{20}}{d_{20}} \leqslant 8$，主要根据试验结果的分析成果，这样表达更准确和更方便使用。

本次修订时，增加了黏性土流土临界水力比降的确定方法。

附录 Q 土的地震液化判别

Q.0.1 土在静力或动力作用下由固体状态转化为液体状态,并产生了工程上不容许的变形量时称为液化破坏。它与单称液化有所不同,土体由固体状态转化为液体状态的作用或过程都可称为土的液化,但若没有导致工程上不能容许的变形时,不认为是破坏。土的液化破坏主要是在静力或动力作用(包括渗流作用)下土中孔隙水压力上升、抗剪强度(或剪切刚度)降低并趋于消失所引起的,表现为喷水冒砂、丧失承载能力或发生无限度或有限度的流动变形。本附录主要给出评价地震时可能发生液化破坏土层的原则和一些判别标准。

地震时可能发生液化破坏的土层,较常见于粒径小于 0.005mm 的颗粒含量质量百分率 ρ_c(%)小于或等于 3,塑性指数小于或等于 3 的饱和无黏性土,以及黏粒含量 ρ_c(%)大于 3 且小于或等于 25,塑性指黏粒含量 ρ_c(%)大于 3 且小于或等于 25,塑性指数 I_p 大于 3 且小于或等于 15 的少黏性土,可根据土层的天然结构、颗粒组成、松密程度、地震前和地震时的受力状态、边界条件和排水条件以及地震历时等因素,结合现场勘察和室内试验,综合分析判别。

Q.0.2 液化判别分为初判和复判两个阶段。初判主要应用已有的勘察资料或较简单的测试手段对土层进行初步鉴别,以排除不会发生液化的土层,减少勘察工作量。因此,初判所列判别指标,从安全出发,大都选用了邻近可能发生液化的上限。对于初判可能发生液化的土层,则再进一步复判。对于重要工程,则应做更深入的专门研究。

Q.0.3 本条规定了初判不液化的标准。

1 第四纪晚更新世 Q_3 或以前的土,一般可判为不液化。其主要依据是在邢台、海城、唐山等地震中,发生液化的土层都属于第四纪全新世地层,没有发现 Q_3 及 Q_3 以前地质年代的土层发生过液化的实际资料。如在唐山地震中,即使在烈度为 11 度的极震区、地下水位很浅、上覆土层很薄的情况下,晚更新世 Q_3 砂层也没发生液化。但应用过程中有研究者提出,在一定条件下 Q_3 地层有可能发生液化,从举出的例子看,多为高烈度区(10 度以上)黄土高原的黄土状土,很多是古地震从描述等方面判定为液化的,有些例子是采用液化判别方法判别的结果而非实际地震液化结果。2008 年 5 月 12 日汶川地震中,结合现场液化点的现场调查分析,液化点取样测年分析,确定 Q_3 地层(地质年龄为 Q_3 地层的上界)有液化发生。因此,为慎重起见,将该款的适用范围限定在不超过地震烈度 8 度的地区。

2 土体中粗颗粒含量的增加可以减少土体的压缩性,并增加其渗透性,当大于 5mm 的粗颗粒质量百分含量达到 70% 时,粗颗粒形成骨架,一般不再发生液化。

原规范规定"粒径大于 5mm 颗粒质量百分含量小于 70% 时,若无其他整体判别方法时,可按粒径小于 5mm 的这部分判定其液化性能",这是基于当时试验条件做出的判别结果偏于安全的规定。目前大型动三轴试验应用已较为普遍,试样最大直径已可达到 30cm,原规定与目前的试验条件已不相适应。

3 目前新的地震区划图是以地震动峰值加速度划分的,7 度区对应的地震动峰值加速度为 0.10g 和 0.15g,8 度区对应的地震动峰值加速度为 0.20g 和 0.30g,9 度区对应的地震动峰值加速度为 0.40g,黏粒含量也按内插的方法相应调整为 16%、17%、18%、19% 和 20%。

进行液化判断时应采用水工建筑物抗震设防烈度对应的地震动峰值加速度值。

4 鉴于水工建筑物正常运用时的地下水位往往不同于地质

勘察时的地下水位,而抗震设计需要考虑工程正常运用后的情况,因此特别写明为工程正常运用后的地下水位。

6 本款规定了深度折减系数 γ_d 的取值方法。本附录公式(Q.0.3-1)中,γ_d 不仅随土层深度 Z 的增大而减小($\leqslant 1$),并且在同一个深度的变化幅度又随 Z 的增大而增加很大。因此如何选择合适的 γ_d 值,涉及土层性质、厚度以及地震特征等多种因素,是一个很复杂的问题。经过表 7 的对比分析,作为初判应用,并从安全考虑,建议采用不同深度的 γ_d 值,同时考虑其上限保证率不小于 85%,上限误差率不大于 14.6%。

关于剪切波速判别土层液化的标准,过去曾与标准贯入试验进行过比较和印证,但大都只限于深度 15m 范围以内,因为标准贯入试验的判别公式只适用于 Z 小于 15m 的情况。大于 15m 深度的情况,目前尚缺乏实际资料印证。为了便于初判应用,本附录给出了可以延伸到 30m 的初判标准。对于深度大于 30m 的情况,建议仍用 $\gamma_d = 0.9 - 0.01Z$ 计算,但不小于 0.5。

表 7　深度折减系数 γ_d 取值及其上限保证率和误差分析

深度 Z (m)	范围值			平均值			修改后建议值			
	上限量	下限量	变幅	数值 γ_d	误差率 (%)	上限保证率 (%)	公式	数值 γ_d	上限保证率 (%)	上限误差率 (%)
0	1.00	1.00	0.00	1.00	0.0	100	$\gamma_d = 1 - 0.01Z$	1.00	100	0.0
5	0.99	0.95	0.04	0.97	±2.1	98		0.95	96	4.2
10	0.96	0.84	0.12	0.90	±6.7	94		0.90	94	6.7
15	0.90	0.60	0.30	0.75	±20.0	83	$\gamma_d = 1.1 - 0.02Z$	0.80	89	12.5
20	0.82	0.42	0.40	0.62	±32.2	76		0.70	85	14.6
25	0.76	0.33	0.43	0.55	±39.4	72	$\gamma_d = 0.9 - 0.01Z$	0.65	86	14.5
30	0.70	0.30	0.40	0.50	±40.0	71		0.60	86	14.6

Q.0.4 本条规定了液化复判标准。

1 在水电工程中,工程建造前后地面高程和地下水位发生较大改变的情况较多,通常需要预先对工程运行后的坝基(地基)进行液化判别,此时,应按工程运行后的地面高程和地下水位来考虑试验标准贯入锤击数和液化临界标准贯入锤击数。

本次修订调整了试验标准贯入锤击数的校正公式(Q.0.4-2)和液化临界标准贯入锤击数计算公式(Q.0.4-3),同时将标准贯入试验液化判别法的适用深度,延伸到20m深度以内。

工程实际应用经验和依据实测标准贯入试验资料的比较分析表明,原规范采用公式 $N_{63.5} = N'_{63.5}(d_s + 0.9d_w + 0.7)/(d'_s + 0.9d'_w + 0.7)$ 对试验标准贯入锤击数进行校正时,若上覆有效应力增大,校正后的试验标准贯入锤击数偏大,高估了土体的抗液化能力,导致液化判别结果偏于不安全。若上覆有效应力减小,校正后的标准贯入锤击数偏小,低估了土体的抗液化能力,导致液化判别结果过于保守。

在对近年来相关研究成果进行综合分析的基础上,结合实际工程中可能遇到的砂层的状态,本次修订建议采用公式 $N_{63.5} = N'_{63.5}(\sigma_V/\sigma'_V)^{0.5}$ 进行试验标准贯入锤击数的校正。采用该式对试验标准贯入锤击数进行校正,能够纠正原规范公式在上覆有效应力增大时偏于不安全、在上覆有效应力减小时过于保守的缺点。同时,在工程实际问题遇到的上覆有效应力变化(增大或减小)情况下,能够保证液化判别结果有一定的安全裕度。

对于液化临界标准贯入锤击数,在现行国家标准《建筑抗震设计规范》GB 50011—2010 中,采用公式 $N_{cr} = N_0\beta[\ln(0.6d_s + 1.5) - 0.1d_w]\sqrt{3/\rho_c}$ 计算,本次修订参照现行国家标准《建筑抗震设计规范》GB 50011—2010,采用公式 $N_{cr} = N_0[\ln(0.6d_s + 1.5) - 0.1d_w]\sqrt{3/\rho_c}$ 计算,即取 $\beta = 1.0$(略高于设计地震2组对应的 β 值0.95)。水电工程多修建于偏远山区,按照地震区划图通常难以确定设计地震分组(或"近震"、"远震"),若考虑设计地震分组(或"近震"、"远震")的影响计算液化临界标准贯入锤击数,工程设计人员通常难以操作,不便于工程应用。原规范在实际使用中,是应考虑远震的影响的,对比分析表明,采用修正后的公式计算所得的液化临界标准贯入锤击数略大于按照原规范规范公式远震下的相应计算值,是偏于安全的。

由于标准贯入试验点深度小于 5m 时,采用公式(Q.0.4-3)算出的液化临界标准贯入锤击数比实际震害调查资料的临界值偏小,所以当标准贯入试验贯入点深度小于 5m 时,应采用 5m 计算。

为便于使用,图 2 给出了工程运行时,地面高程和地下水位与标准贯入试验时相比发生变化情况下的典型示意图。图 2 所示为一天然砂层,其地下水位以上的天然容重为 γ,浮容重为 γ'。标准贯入试验时,贯入点深度处上覆有效垂直压力为 $\sigma'_{V1} = \gamma d'_w + \gamma'(d'_s - d'_w)$,工程运行时上覆有效应力 $\sigma_{V1} = \gamma d_w + \gamma'(d_s - d_w)$。

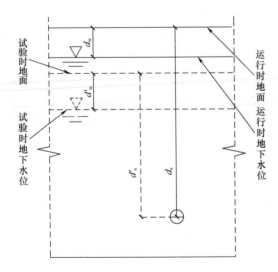

图 2　工程运行前后地面高程和地下水位变化示意图

2　表 Q.0.4 中采用"液化临界相对密度(D_r)$_{cr}$(%)"一词,是

作为相对密度 D_r（％）的界限值提出来的，以示区别。表 Q.0.4-2 中包括了地震动峰值加速度为 0.05g、0.10g、0.20g 和 0.40g 的液化临界相对密度值，它们都是有宏观实际资料作为依据的，与现行行业标准《水工建筑物抗震设计规范》DL 5073 一致。相对密度复判法适用于饱和无黏性土（包括砂和粒径大于 2mm 的砂砾），并可用于控制无黏性土填筑时的压实标准，但是标准贯入试验主要适用于砂土和少黏性土地基。因此，相对密度标准可以延伸标准贯入试验所不能判别的范围。在标准贯入试验适用的范围内，可以标准贯入试验锤击数作为判别的主要依据，同时相对密度也可用以相互印证。对于地震动峰值加速度为 0.15g 和 0.30g 对应的液化临界相对密度，可根据表内插取得。地震动峰值加速度为 0.15g 时，液化临界相对密度可取为 73％；地震动峰值加速度为 0.30g 时，液化临界相对密度可取为 80％。

3　相对含水率或液性指数复判法主要是依据 1961 年巴楚地震至 1976 年唐山地震等 5 次国内地震中饱和少黏性土地基"液化"与"未液化"实例分析得到的，所依据的实例资料绝大部分位于地震动峰值加速度为 0.10g～0.40g（地震烈度 7 度～9 度）的地区，0.40g（9 度）以上区域的资料还不够充分，因此，该条文适用于 9 度及 9 度以下地区，也可以作为标准贯入试验延伸到少黏性土范围的印证之用。

附录 R 岩体结构分类

鉴于层状结构岩体中不属于层面的其他裂隙的存在,其间距在评价岩体结构特征时是必须考虑的。因此,根据结构面的间距将层状结构岩体分为五个亚类,名称仍沿用层状岩单层厚度分类,如巨厚层状结构、厚层状结构、中厚层状结构、互层状结构和薄层状结构,但二者划分是有差别的。"镶嵌碎裂结构"分为"镶嵌结构"和"块裂结构",其完整程度一致,但岩块间结合程度不同,"镶嵌结构"岩块嵌合紧密,仍具较好的整体性,而"块裂结构"岩块间有泥质物或岩质充填,结构较松弛。

附录 T 岩体地应力和高地应力条件下岩体破坏类型及判别

岩体初始应力或称地应力、天然应力，是天然状态下，由于受自重和构造运动作用，存在于岩体内部的应力，是客观存在的确定的物理量，是岩石工程的基本外荷载之一。岩体初始应力是三维应力状态，一般为压应力。岩体初始应力场受多种因素的影响，是一系列自然因素作用所产生的综合效应，一般其主要影响因素为埋深、构造运动、地形地貌、地壳剥蚀程度等。对水电水利工程实践而言，因地下工程的埋深极少超过 2500m，其初始应力应以自重应力和构造应力为主，不考虑地热应力。

T.0.1 准确地获得岩体初始应力值的最有效方法是进行现场测试。对大型工程或特殊工程，应现场实测岩体初始应力，以获得其定量数据；对一般工程，有实测岩体初始应力数据者，应采用实测值，无实测资料时，可根据地质勘探资料，对岩体初始应力场进行评估。

在其他因素影响不显著的情况下，岩体初始应力为自重应力场。上覆岩体的重量是垂直向主应力，沿深度按直线分布增加。历次发生的地质构造运动，常影响并改变自重应力场。国内外大量实测资料表明，垂直向主应力值（σ_V）往往大于岩体自重。若用 $\lambda_0 = \sigma_V / \gamma_H$ 表示这个比例系数，我国实测资料统计表明，埋深小于 1000m 时，$\lambda_0 < 0.8$ 的约占 17%，$\lambda_0 = 0.8 \sim 1.2$ 的约占 34%，$\lambda_0 > 1.2$ 的约占 49%，大部分在 0.8～3.0 之间，约占 77%。埋深在 1000m～2500m 时，国内实测资料较少，统计国内外 32 组实测资料，$\lambda_0 < 0.8$ 的约占 28%，$\lambda_0 = 0.8 \sim 1.2$ 的约占 66%，$\lambda_0 > 1.2$ 的约占 6%，大部分在 0.6～1.2 之间，约占 78%。

国内外的实测水平应力,当埋深小于 1000m 时,普遍大于泊松效应产生的 $\gamma_H \cdot \mu/(1-\mu)$,且多数大于或接近实测垂直应力。用最大水平应力 (σ_H) 与 (σ_V) 之比表示侧压系数 $(\lambda_1 = \sigma_H/\sigma_V)$,一般 λ_1 为 0.5~5.5,大部分在 0.8~3.0 之间。埋深在 1000m~2500m 时,一般 λ_1 为 0.6~2.5,大部分在 0.7~2.0 之间。

表 T.0.1 给出的垂直向主应力 (σ_V) 和最大水平向主应力 (σ_H) 的取值,是根据实测资料统计的,在取值时,应根据不同地区构造应力影响程度确定。

实测资料还表明,水平应力并不总是占优势,到达一定深度以后,水平应力逐渐趋向小于或等于垂直应力,即趋向静水压力场。这个转变点的深度,即临界深度,经实测资料统计,在 1000m~1500m 之间。如锦屏二级、秦岭隧道均在 1000 余米。

确定初始应力的方向是一个极为复杂的问题,本附录没有具体给出,在使用本附录 T.0.1 条第 2 款时,可用以下方法对初始应力的方向进行评估。

分析历次构造运动,特别是近期构造运动,确定新构造体系,进行地质力学分析,根据构造线确定应力场主轴方向。根据地质构造和岩石强度理论,一般认为自重应力是主应力之一,另一主应力与断裂构造体系正交。对于正断层,σ_V 为大主应力,即 $\sigma_1 = \gamma_H$,小主应力 σ_3 与断层带正交;对于逆断层,σ_V 为小主应力,即 $\sigma_3 = \gamma_H$,σ_1 与断层带正交;对于平移断层,σ_V 为中间应力,即 $\sigma_2 = \gamma_H$,σ_1 与断层面成 30°~45° 的交角,且 σ_1 与 σ_3 均为水平方向。一般地说,断层带附近应力值低,随着远离断层,应力值增高,并趋向稳定的初始应力值。工程区的现代区域平均应力场也可用区域地震震源机制解求得。

T.0.2 岩体初始应力的分类是在现行国家标准《工程岩体分级标准》GB 50218 的基础上,扩大了范围,增加了"中等地应力"和"低地应力",并增加了最大主应力量级的定量划分数值。实测资料表明,岩爆和岩芯饼化的发生部位,大多数最大主应力值在

20MPa～25MPa 以上，因此，高地应力以最大主应力值 20MPa 为界进行划分。实测资料还表明，在中等地应力范围（10MPa～20MPa）也有局部发生岩爆或岩芯饼化的现象，如锦屏二级水电站工程的大理岩、二郎山隧道的泥岩、白鹤滩水电站工程的玄武岩、宝泉抽水蓄能电站的斜长片麻岩等。低地应力（小于 10MPa）区未见岩爆或岩芯饼化的现象。

岩体初始应力的分类除考虑最大主应力量级外，尚需考虑岩石的性质，本附录表 T.0.2 采用 R_b/σ_m 作为评价"应力情况"的定量指标之一，一般情况下，该指标应与最大主应力量级同时满足才属于该等级的应力区，不同时满足时，从安全考虑，应以先满足高等级应力区的指标作为判别指标。

需要指出的是，空间最大主应力与工程轴线（如洞室轴线）夹角的不同，对工程岩体稳定的影响程度也不同，垂直工程轴线方向的最大初始应力对工程岩体稳定的影响最大。本附录表 T.0.2 中的 R_b/σ_m，σ_m 不考虑应力方向，主要原因是：一方面，在工程轴线（如洞室轴线）选择时，均需考虑与最大初始应力的交角；另一方面，便于工程技术人员应用。

由于中、高初始应力引起的岩爆和岩芯饼化现象，已为工程实践所证实。

T.0.3 表 T.0.3 是本次修订时新增的内容，对高地应力条件下岩爆及松弛破坏的分类及判别作了具体规定。工程实践表明，岩爆的表现有多种形式，除了应力型岩爆外，还存在受构造控制的岩爆，这类岩爆的破坏力更强，在工程建设中应加以区分。高应力除引起脆性破坏的岩爆外，存在因高地应力引起的松弛破坏和塑性变形破坏，这类破坏对工程建设的影响也很大，如锦屏二级水电站引水隧洞开挖后普遍存在围岩的松弛破坏，一般深度 2m～3m，最深可达 6m 左右，除了采用灌浆、喷锚支护外，增加了全洞全断面混凝土衬砌。

T.0.4 国内外对岩爆的分级和判别多种多样，尚无统一的标准。

在众多的岩爆分级中以四级分类较多,表 T.0.4 给出了四级分类,较符合我国已发生岩爆的工程的实际。

岩爆的判别方法较多,归纳起来有应力判据、能量判据和岩性判据。应力判据主要考虑洞室切向应力与岩石单轴抗压强度的关系确定岩爆等级;能量判据根据弹性能量指标(Wet)大小判别和预测岩爆等级;岩性判据认为岩爆最主要的岩性条件是单轴抗压强度和抗拉强度,洞室切向应力和岩石单轴抗压强度之比要大于或等于单轴抗压强度和抗拉强度的比值才发生岩爆。表 T.0.4 利用围岩 R_b/σ_m 的大小进行岩爆等级的判别,考虑了岩体初始应力场和岩石的性质,虽然岩爆的发生是洞室开挖的应力重分布引起的,但应力重分布的基础是岩体的初始应力,因此,用围岩的初始最大主应力也可反映洞室开挖后应力重分布的相对大小。利用围岩 R_b/σ_m 的大小进行岩爆等级的判别既可与岩体地应力的分类配套,又便于操作。经 26 个工程的统计,有较高的吻合度。

临界埋深公式由我国侯发亮教授提出,公式中仅考虑了岩石的性质,未考虑围岩的应力,因此,临界埋深应与围岩 R_b/σ_m(小于7)同时判别。

有的学者认为,岩石静力学还不能阐明岩爆的全部机理,初始应力及开挖引起的应力重分布是岩爆发生的背景与基础,但不是全部,还存在地应力外的其他诱发机制,按目前的研究还不能提出有效的预报方法和控制措施,还需要进行系统的岩爆灾害的岩石动力学机理研究。但目前的实际情况是,大量的工程施工均已遇到了岩爆,迫切需要对岩爆进行判别、分级,并有相应的支护措施。表 T.0.4 是对部分工程岩爆事件的总结,具有代表性,可在今后的工程实践中不断地完善和发展。

S/N:155182·0047

统一书号：155182·0047

定　　价：48.00 元